U0270422

N文库

Inagaki
Hidehiro

稻垣荣洋
科学散文集

就在身边的昆虫

[日] 稻垣荣洋 / 著
[日] 小堀文彦 / 绘
李奕 / 译

贵州出版集团
贵州人民出版社

著作权合同登记号 图字：22-2024-133 号

图书在版编目（CIP）数据

就在身边的昆虫：稻垣荣洋科学散文集 /（日）稻垣荣洋著；（日）小堀文彦绘；李奕译．-- 贵阳：贵州人民出版社，2025. 1. --（N 文库）. -- ISBN 978-7-221-18781-9

Ⅰ. Q96-49

中国国家版本馆 CIP 数据核字第 20246Y0X72 号

JIUZAI SHENBIAN DE KUNCHONG (DAOYUANRONGYANG KEXUE SANWENJI)
就在身边的昆虫（稻垣荣洋科学散文集）
［日］稻垣荣洋 / 著
［日］小堀文彦 / 绘
李奕 / 译

选题策划 轻读文库　　出 版 人 朱文迅
责任编辑 任蕴文　　特约编辑 张宝荷

出　版 贵州出版集团 贵州人民出版社
地　址 贵州省贵阳市观山湖区会展东路 SOHO 办公区 A 座
发　行 轻读文化传媒（北京）有限公司
印　刷 天津联城印刷有限公司
版　次 2025 年 1 月第 1 版
印　次 2025 年 1 月第 1 次印刷
开　本 730 毫米 × 940 毫米 1/32
印　张 6.75
字　数 120 千字
书　号 ISBN 978-7-221-18781-9
定　价 30.00 元

关注轻读

客服咨询

目录

蜜蜂
——劳模竟是老奶奶

一天到晚埋头苦干的日本上班族曾被全世界戏称为“工蜂”。然而，有着“劳模”之称的蜜蜂每天其实只工作5小时左右，这可比准点下班的8小时工作制短多了。想来也是，蜜蜂并没有节假日。假设蜜蜂一周工作7天，也就是每周工作35小时。蜜蜂在劳动法规定的每周40小时工作时间以内勤勤恳恳地工作。

在白领社会，初入职场的职工一般会先从事实地考察、外出销售等外勤工作；逐渐升职后，才转向内勤工作，开始坐办公室、参加会议。蜜蜂却恰好相反，新手工蜂是绝不可能被外派出去采蜜的。随着经验的累积，蜜蜂才逐渐从内勤转为外勤。

刚羽化为成虫的工蜂最早被分配到的任务是在蜂巢内工作和照看幼虫，而带孩子这类工作需要全天候进行。之前提到的“每天工作5小时”指的是在外采蜜的外勤蜂的工作时间；内勤蜂则实行轮班制，每天工作6至8小时。虽说是内勤工作，但并不轻松。

渐渐地，工蜂开始承担筑巢、管理采集回来的蜂蜜等责任重大的工作。接着，它们会成为蜂巢外的守蜜队队员，最后才是寻花采蜜的外勤工作。蜂巢外的世界危机四伏，显然不能让毫无经验的年轻工蜂出去冒险。而工蜂的寿命只有短短的一个月，于是，不久于世的老工蜂为尽自己最后的一份力，承担起了为家人采集食物的危险工作。

工蜂都是雌性，所以在花间飞来飞去的蜜蜂都是年近古稀的老奶奶。虽说一天也就工作5小时，但蜜蜂的外勤工作是很辛苦的。工蜂在距蜂巢约3千米的范围内采蜜，这和比萨店能配送的最远距离差不多。一天内，工蜂要在花丛和蜂巢之间往返10至15个来回。此外，在外工作就意味着一直暴露在螳螂、蜘蛛等众多天敌的觊觎之下。所以，工蜂每次离巢出勤都是抱着必死的决心出发的。

我们这些正值工作黄金期的上班族是否有像这些"老奶奶"一样卖力地工作呢？这值得深思。况且，工蜂冒着生命危险、穷其一生采集到的蜂蜜大约也只有一勺而已，想想也是够悲催的了。不过，真要算的话，我们上班族一辈子赚的也不是太多，还是就此打住吧。

然而，拼命工作的蜜蜂创造的劳动价值却是极高的。"如果蜜蜂从地球上消失，人类只能存活4年。"20世纪的伟大天才爱因斯坦就曾说过这样的话。蜜蜂在花丛间辗转飞舞、传播花粉，使花朵结出果实、留下种子。如果没有蜜蜂，植物就会逐渐灭绝。实际上，大多数蔬菜水果也靠蜜蜂传粉，如果没有蜜蜂，人类会很快陷入粮食危机。

同时，野生植物也非常依赖蜜蜂。搬运花粉的昆

虫有很多，但和马蜂等只顾养活自己的昆虫不同，蜜蜂需要养活自己的家人。于是，聪明的蜜蜂会选择在同一种类的花儿周围徘徊，而这正合植物的心意。如果来之不易的花粉被带往其他种类的花，便无法完成受精。蝴蝶也是采蜜昆虫，但用吸管一样的长形口器吸食花蜜，身上不会沾到花粉。对植物来说，蝴蝶就是只食花蜜、不会授粉的偷蜜小贼。

因此，植物费尽心机、确保只有蜜蜂才能获得花蜜。许多花朵呈纵深的筒状构造，将花蜜深藏于底，专门为钻入花蕊的工蜂精心设计。花儿进化成如此复杂的形状，就是为了只向最佳搭档蜜蜂提供花蜜。于是，弄清楚花朵复杂的结构并获得花蜜的蜜蜂，会再次光顾相同结构的花儿来采蜜。花儿与蜜蜂珠联璧合，构建了叹为观止的伙伴关系。

日本的上班族也同样追求着对世界而言不可或缺且有意义的工作，并且也为能被全世界称为“工蜂”而感到自豪。

凤蝶
——翩翩起舞的谋略家

人们常说某事某物“如花似蝶”般美丽，美丽的蝴蝶深受大众喜爱。但《万叶集》[1]中有很多歌颂日本花鸟风月的诗歌，却没有一首是咏蝶的。此外，在平安时代清少纳言的随笔集《枕草子》第41段《虫》里，连苍蝇蚂蚁都登场了，却独独没有对女孩子大都喜欢的蝴蝶的描述。据说这是因为在古代，人们认为翩然而飞的蝴蝶承载着亡者的灵魂，是备受忌讳的不祥之物。但是，无论那时候的人如何讨厌蝴蝶，它都有翩然起舞的必然理由。

那就是避开天敌鸟类的攻击。电影、电视剧里，逃亡中的主人公会为了躲避枪击故意采用蛇形路线，蝴蝶亦是如此，只有这样才能避开鸟类的直线式高速袭击。看上去优雅的舞姿，其实是躲避天敌的逃亡之计。

蝴蝶合上翅膀时就会翩然而落，扇动翅膀又会飞舞而升，不断重复着这些动作。由于翅膀较大，蝴蝶可以通过剧烈的上下运动来迷惑天敌，但在这一过程中身体起伏并不大，的确是很出色的飞行方式呀。

凤蝶，又称“扬羽蝶”。在日语中，将和服裙摆

1　《万叶集》，日本现存最早的诗歌总集，在日本的地位类似我国的《诗经》。——译者注（如无特殊说明，本书注释均为译者注。）

多余的部分折叠、缝合在一起，便称为“扬”。凤蝶在吸食花蜜时会将翅膀合起来，人们便将这个姿势称为“扬羽”。另外，日语中的“扬”还有烂漫嬉戏之意，因此也有人认为“扬羽”得名于凤蝶舞动它那美丽翅膀的样子。而对用轻盈舞姿魅敌的蝴蝶来说，最大的天敌就是鸟类。凤蝶的一生可谓都在与天敌鸟类殊死搏斗。

刚孵化出来的凤蝶幼虫黑白相间，看上去像极了鸟儿的粪便。就算再怎么喜欢吃毛毛虫的鸟类也是断然不愿去吃自己的粪便的，因此凤蝶在早期通过拟态鸟粪来自保。当然，也不能一直都是粪便的样子。随着身形渐大，化形的鸟粪也会越来越大，那样的话反倒会显得突兀。

于是，幼虫长大后会逐渐变成与植物的茎叶一样的绿色来作为自己的保护色。变成绿色的凤蝶幼虫还会长出两处大眼珠子似的花纹，它们有着特别重要的作用。车站、阳台、农田常用带有大眼图案的气球来防鸟，因为鸟类天生讨厌大眼睛的东西。因此，凤蝶幼虫也以此来躲避鸟类的袭击。两个大眼花纹会令凤蝶幼虫看起来很像鸟类的天敌蛇的头部。鸟类来袭时，凤蝶幼虫还会像蛇一样抬头恐吓。

此外，幼虫身上的白色条纹也颇有深意。横向的线状条纹遍布身体，使幼虫的整体大小难以确认，这样一来就能让鸟儿将自己误认成蛇的头部。不仅如

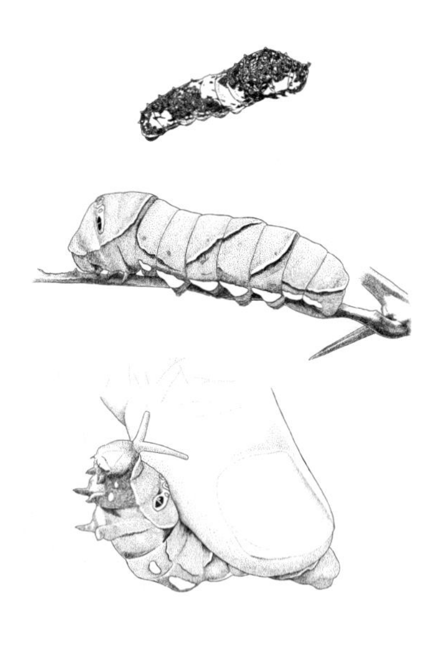

此，在受到持续攻击时，凤蝶幼虫会竖起叫臭角的黄色触角，散发出令鸟类讨厌的气味来进行威胁。就这样，凤蝶通过各种手段死里逃生。

之后，就算变成蛹，凤蝶的防御措施也毫不松懈。凤蝶幼虫多以柑橘科植物为食，柑橘树粗糙的部分为褐色枝条，光滑部分为绿色细茎。为了与周围环境相协调，凤蝶会相应地改变蛹的颜色。而且，凤蝶蛹的形状很像柑橘科植物的树枝上常见的倒刺，这应该也是下了一番大功夫的。

蝴蝶翩翩飞舞是为了躲避鸟类的袭击，可对凤蝶来说，美丽的翅膀中还另藏玄机。凤蝶后翅根部有像尾巴一样突起的部分，被称为尾状突起，而尾状突起的根部有橘色带黑点的花纹。这个花纹正是模仿了眼睛的样子。虽然这么小的眼睛不足以威胁到鸟类，但是鸟类会瞄准蝴蝶的头部进行攻击，以免猎物逃脱。于是，凤蝶把尾状突起伪装成触角，让鸟类误以为带有眼睛花纹的后翅根部是头部。在鸟类攻击翅膀时，凤蝶就能灵活逃脱了。

虽然蝴蝶在平安时代不受待见，但随后崛起的平氏把优雅美丽的凤蝶作为家纹使用，凤蝶也成了武士家纹中最受欢迎的纹样。但若平氏不只看到凤蝶的美丽，而是更为深刻地思考了凤蝶策略性十足的生存之道的话，又会怎样呢？或许，平氏就不会灭亡，历史也会彻底改写了吧。

麝凤蝶
——吃得苦中苦，方为人上人

“1个，2个，3个，4个……9个，果然还差1个。”在怪谈《播州皿屋敷》[2]中，因打碎宝贵的盘子而被责罚致死的阿菊，被扔进一口古井。化为怨灵的阿菊夜夜都出现在古井里，满怀怨恨、一刻不停地数着盘子。据说，在投弃阿菊尸身的古井中，出现了诡异的虫子，看上去就像是被反绑着手的女人模样。人人都说这虫子是由阿菊的怨念幻化出来的，于是便称之为“阿菊虫”。

阿菊虫其实就是麝凤蝶的蛹，它确实长得挺诡异的。据说，自从城下町出现大量麝凤蝶的蛹之后，播州皿屋敷的传说就不胫而走。不光是蛹，连麝凤蝶幼虫的样子也很诡异。它们通体黝黑，带有白色花纹，中间还有无数红色的突起。黑白红形成强烈的对比色，显得异常鲜艳。

一般来说，昆虫为了隐藏自己，会尽量选择和周围环境相似的保护色。麝凤蝶这般明目张胆，全因其幼虫自带毒性。误食了麝凤蝶幼虫的鸟儿会因此中毒、引发呕吐。于是有了前车之鉴的鸟儿便不再去袭击麝凤蝶的幼虫了。为了不被鸟儿捕食，麝凤蝶的幼

2　播州，即播摩国，日本古代令制国之一。皿屋敷为日本著名怪谈，流传于日本各地。

虫特地将自己显得醒目，警告鸟儿切勿自讨苦吃。

但不管如何身怀剧毒，不被捕食才是关键。在这点上，麝凤蝶将毒性运用到了出神入化的地步。毒性过强会导致捕食者死亡，其他鸟儿就不会知道麝凤蝶有毒了。所以关键是要让敌人知道中毒的后果，毒杀根本无济于事，让对方尝到苦头就行的毒性就恰到好处。

但匪夷所思的是，这样以毒防身的麝凤蝶幼虫，在刚出生时居然是没有毒的。麝凤蝶的幼虫以有毒的马兜铃为食，因此体内也逐渐积蓄起了毒素。也有其他昆虫以毒草为食，但一般都是在体内将毒素分解，或通过代谢将毒素排出体外，以防毒素损害自身。麝凤蝶则主动摄取毒素并在体内积累。正所谓吃得苦中苦，方为人上人。

转念一想，马兜铃携毒原本就是为了避免被虫子啃食，可结果却是不光被啃光了叶子，连好不容易积攒起来的毒素也被抢走了，马兜铃才苦不堪言吧。我敢保证，比起阿菊虫，马兜铃更该心怀怨怼。

幼虫时期积蓄的毒素，即使在麝凤蝶变成蛹后也依旧在体内积攒着。为了彰显自己，麝凤蝶的蛹通体呈橘色且外形奇特，如此醒目就是为了警告鸟类有毒勿食。此外，这些毒素即使在麝凤蝶羽化为成蝶后也一直被小心保管着。

麝凤蝶黑色的翅膀上有红色的斑点，借此警告鸟

类：我可是有毒的。黑色的凤蝶有很多，几乎都是在林中昏暗的地方飞舞。在昏暗之处，黑色就会显得很隐蔽。麝凤蝶却在明亮之地张扬飞舞。在阳光明媚之处，麝凤蝶故意选择了醒目的黑色。好像是为了故意彰显自己，麝凤蝶飞得优哉游哉。这也是为了让鸟儿看清楚自己，警告它们别来攻击。仿佛就是在挑衅："敢吃的话，吃个试试啊。"简直把那些为了躲避鸟类袭击而终日惴惴不安、东躲西藏的昆虫羡慕死。

随后，也出现了一些没有毒，只是模仿麝凤蝶来防身的家伙。蓝凤蝶和美姝凤蝶等黑色凤蝶长得和麝凤蝶很相似。除此之外，这类凤蝶连飞行方式也尽量模仿麝凤蝶。除了蝴蝶，有种叫浅翅凤蛾的蛾类也酷似麝凤蝶。

昆虫界里连鸟都不怕的麝凤蝶，哪会有什么怨怼之心呀，根本就是大家都羡慕不已的对象嘛。

纹白蝶[3]
——明明是黑色的花纹，却叫纹白蝶？

纹白蝶的白色翅膀上带有黑色的花纹。明明是黑色的花纹，为什么叫“纹白蝶”呢？其实，纹白蝶最开始叫“纹黑白蝶”，对应带有黑色花纹的白色翅膀。但由于这个名字特别拗口，于是就简化成了“纹白蝶”。如果只看花纹的话，应该叫“纹黑蝶”才对，可那样又会让人误以为是黑色蝴蝶。所以，实际上“纹白蝶”的意思是带有花纹的白色蝴蝶。与纹白蝶类似，还有同属于粉蝶科的纹黄蝶[4]，指的是带有花纹的黄色蝴蝶。

蝴蝶翅膀上那些五彩斑斓的颜色和花纹，都是由鳞粉形成的。如果去掉鳞粉的话，不管是纹白蝶还是纹黄蝶的翅膀，都会变得像蜻蜓和蜜蜂的翅膀那样透明。鳞粉还可以防水，有保护翅膀的重要作用。

美丽的鳞粉其实是蝴蝶对蛹期无法排出的代谢物再利用后形成的。像纹黄蝶那样翅膀是黄色的蝴蝶有很多，这是受到代谢物中尿酸影响的结果。话说回来，纹白蝶的翅膀也不完全是白色的，背面也略显黄色。

春暖花开之际，经常会看见几只纹白蝶一起翩翩

3　纹白蝶，在中国常被称为菜粉蝶、白粉蝶。

4　纹黄蝶，在中国常被称为黄纹粉蝶、斑缘豆粉蝶。

飞舞的景象，这其实是雄性纹白蝶在追求雌性纹白蝶。多数情况下不是两只，而是数只在一起上下翻飞，也就是说，有多只雄蝶在同时追求一只雌蝶。

这就奇怪了。雄性独角仙有角，凤蝶和白尾灰蜻中雌性和雄性的翅膀花纹和身体颜色也不一样，一看便知。可纹白蝶的话，不论雌雄，都是一样的黑纹白翅膀。既然如此，雄蝶又是如何识别雌蝶的呢？昆虫能看见人类无法看见的紫外线，在紫外线下，雌雄纹白蝶的区别就一目了然了。雄蝶的翅膀会吸收紫外线，雌蝶的翅膀会反射紫外线。因此，在紫外线下看的话，雄蝶的翅膀黯淡无光，雌蝶的翅膀则因反光而格外璀璨夺目。就像看到了闪闪发光的偶像，雄蝶会情不自禁地争相追逐。

纹白蝶的翩然舞姿如同春天的风物诗[5]，但与此同时，纹白蝶的幼虫青虫也是啃食卷心菜等十字花科蔬菜的害虫。在农家眼中，纹白蝶漫天飞舞的乡村美景或许只是可恶的害虫大量滋生的一桩祸事吧。

现如今，纹白蝶是描述日本春色不可或缺的风物诗。追根溯源，它其实是一种产自欧洲南部的蝴蝶。人们认为，纹白蝶在古代通过来自中国的蔬菜等农作物传到了日本。

相对于纹白蝶这种外来生物，日本本土自古就有

---

5 风物诗，在日本指具有代表性、能让人联想到特定季节的事物。

的白色蝴蝶是黑纹粉蝶。纹白蝶是专吃卷心菜、油菜等农作物的害虫，黑纹粉蝶则食用弯曲碎米荠和蔊菜等十字花科的杂草，多栖息在林木茂盛的阴暗丛林中。随着退林还田的发展，纹白蝶的领地就像扩张了似的，而黑纹粉蝶便悄无声息地藏身于仅存的林子里了。

然而，近些年来，城市里的黑纹粉蝶又开始逐渐增加了。随着菜地逐渐减少，纹白蝶最喜欢的阳光普照的油菜花地和卷心菜地也在逐渐消失。取而代之的是高楼建筑，黑纹粉蝶喜欢的背阴环境越来越多。

茂密的森林被砍伐后变成了农田，之后人们又在广袤的农田上用水泥建起了一个个都市。看似飞得悠然自得的纹白蝶其实也一定活得不容易吧。它们再一次被时代玩弄，在现代社会顽强地存活着。

七星瓢虫
——艳丽的圆点之谜

在小说《达·芬奇密码》中，斐波那契数列是揭开谜底的关键所在。斐波那契数列是一组呈“1，2，3，5，8……”连续排列的数列。乍看不规则的数列实则有规律可循：将前两个数字相加便得到了下一个数字，例如1+2 = 3，2+3 = 5，3+5 = 8，以此类推。虽然看起来像是个人类凭空想出来的数列，可令人意外的是，自然界中遵循斐波那契数列的例子并不在少数，比如花瓣的数量、叶子的排列等。

那这组数列又有何规律呢？——“2，4，6，7，8，10，11，12，13，14，15，16，19，28”。其实，这是瓢虫背上的斑点数。它们分别是：二星瓢虫，四星瓢虫，六星瓢虫，七星瓢虫，八星瓢虫，十星瓢虫，十一星瓢虫，十二星瓢虫，十三星瓢虫，十四星瓢虫，十五星瓢虫，十六星瓢虫，十九星瓢虫，二十八星瓢虫。

其中，最为人熟知的就是七星瓢虫。如果用日文汉字写的话，七星瓢虫就是“七星天道”，听上去就像是某种神秘占星术的名字。

瓢虫鲜红的身上镶嵌着圆点图案，女士胸针等饰品常常采用这样的设计。怕虫子的女性不在少数，可爱的瓢虫却深得女性的青睐。话说，在日本经典婚礼歌曲《瓢虫的桑巴舞》的歌词里，在森林的教堂里跳着桑巴舞的也是五彩斑斓的小瓢虫呢。

瓢虫在日语中被称为“天道虫”，天道就是被称为“天道大人”的太阳。瓢虫顺着草茎一点一点向上爬，爬至叶尖处，便会展开翅膀朝着太阳飞去，因此得名“天道虫”。在欧洲，瓢虫被视为神圣的昆虫。它的英文名是“ladybird”，意为贵妇人之鸟。Ladybird中的lady原指圣母玛利亚，通体红色的七星瓢虫象征着圣母玛利亚的一袭红衣，七颗星则据说是承载了圣母玛利亚的七种悲伤。

就像饱含深意的达·芬奇密码一般，七星瓢虫的七星也定有其隐含的意义。形成强烈对比的红黑配色要表达的又是什么含义呢？瓢虫一旦被抓住，就会从腿根处释放一种又黄又臭的汁液来保护自己。正因为这臭烘烘的汁液，天敌鸟类才极度讨厌瓢虫。一旦吃过瓢虫的亏，鸟儿便绝不会重蹈覆辙。因此，瓢虫采用了醒目的色彩搭配以及极具辨识度又好记的图案向鸟类彰显自己的存在。

红与黑是一组对立的颜色，彼此间相互凸显，而这样的色彩选择其实非常合理。为了不被鸟类发现，许多昆虫会选择与草木相似的保护色来隐藏自己。可如果瓢虫身体的颜色不那么张扬，就有被鸟类误食的隐患。于是它们故意暴露自己，警告鸟类：“我可是黑暗料理，生人勿近！”

这就是瓢虫身上的斑点彰显的意义。圆点花纹令鸟类避之不及，却深受人类女性喜爱，这是作为天道大人的太阳都始料未及的吧。

二十八星瓢虫
——食草系就那么令人讨厌吗?

在日本，人们会把老实巴交的男人叫作“食草男”。确实，食草动物给人一种温顺的印象。狮子、老虎等食肉动物看上去就狰狞凶猛，相反，斑马、长颈鹿等食草动物就给人一种温顺乖巧的感觉。即便是恐龙，吃肉的霸王龙就显得特别凶暴；反之，吃草的雷龙和三角龙看起来就温柔多了。

话虽如此，但在瓢虫界，情况却是完全相反的。吃肉的瓢虫人见人爱，吃草的瓢虫却遭人讨厌，甚是奇怪。背上有二十八个斑点的二十八星瓢虫，就是典型的食草瓢虫。

以七星瓢虫为代表的食肉瓢虫，面目狰狞地袭击蚜虫，吃得津津有味。但因为蚜虫本就是害虫，所以食肉瓢虫便理所当然地被视为消灭害虫的益虫。相反，以二十八星瓢虫为代表的食草瓢虫老实巴交地只吃叶子，但因为吃的是人类辛辛苦苦栽培的茄子、土豆等蔬菜的叶子，所以就自然而然地被归为了害虫。同为瓢虫，居然还分为食肉系和食草系，简直有些莫名其妙。据说瓢虫的祖先最初都以介壳虫为食，后来才分别进化为以蚜虫为食的食肉瓢虫和以植物为食的食草瓢虫。

但似乎又并非像人类想的那样，生物被严格地分

为食肉动物和食草动物。比如，在加拉帕斯群岛诸岛上的达尔文雀完成了各自的进化，因“岛”制宜。有以捕食昆虫为生的，也有以只吃仙人掌果实为生的。根据各自的环境，它们选择便于采集的食物并各自进化。人类太执着于区分食肉还是食草了，就算同为人类，也要分出个食肉系和食草系，这在其他生物看来，有些不可理喻吧。

一般来说食肉动物四处寻找猎物，食草动物则一动不动地隐藏在天敌的眼皮子底下。食草动物看似温顺的性子，其实是必然的生存之道。在花草上窸窸窣窣地爬来爬去的七星瓢虫看起来特别可爱，正是由于它身为食肉瓢虫，所以特别好动。

从女性特别喜欢活泼的七星瓢虫这点来看，安静的食草男可能果然不太会招女孩子喜欢。事实上，作为文静平和的素食主义者，食草瓢虫没有太大的吸引力。可不管是食肉还是食草，都只是顺应天命、各取所需而已，人类却以自己的标准来评判善恶，或许还是有些自私了吧。

食草瓢虫的特点是背部高高隆起、身体圆润。二十八星瓢虫看上去圆滚滚的，细看还挺可爱。植物富含纤维物质，所以需要花费长时间来消化吸收。因此食草瓢虫拥有很长的消化道。为了将这些消化道纳入体内，食草瓢虫的背部都会比较高耸。瓢虫给人的印象都是圆圆的，但从侧面看，比起二十八星瓢虫，七星瓢虫的身体就比较修长，宛若敏捷的猛兽。

说起来，自古以来日本人的饮食也以谷物和蔬菜为主，大概算是食草系人种。因此比起以肉食为主的欧美人，日本人的肠道要更长。欧美人的肠道平均是4米，而日本人的肠道能达到7米。因此欧美人多纤细腿长，日本人则多身长腿短，为的就是要容纳更长的肠道。

经常吃肉、热血沸腾的欧美人常常会看不起日本人的温顺老实的性子。二十八星瓢虫虽然是害虫，但我觉得它笨重的外表下流露出的淡淡哀愁，在某种程度上也令人感到亲切，你觉得呢？

苍蝇

——苍蝇搓手的理由

“莫再取蝇命，小小蝇儿在搓手，小脚也在动。”——小林一茶

正如俳句诗人小林一茶所写，在你准备打苍蝇时，它总是搓着手，看起来像在拼命求饶。苍蝇的腿上布满细毛，这些细毛是味觉传感器，在苍蝇停在食物上时用来确认味道。因此，为了保证味觉的灵敏度，苍蝇会不断地搓手搓脚，护理足尖、祛除污垢。

此外，苍蝇的足尖还有一个重要的作用。到了夜晚，苍蝇会趴在天花板上睡觉。不仅是天花板，甚至在光滑的玻璃窗上它也能如履平地，就像完全不受重力控制一般。为何苍蝇能如此轻易地停落在任何地方呢？这是因为苍蝇足尖的细毛会渗出一种具有极强黏着力的分泌液，使细毛变得像吸盘一般，支撑起苍蝇的整个身体。

但令人头疼的是，苍蝇不仅光顾人类的食物，还总在粪便和生物尸体等污秽之物上徘徊逗留，然后再回到食物上，于是苍蝇就成了导致食物中毒的病媒生物。自古以来，苍蝇就被视为卫生害虫而遭人厌恶。

在房间里目中无人般飞来飞去的苍蝇，的确也令人讨厌。日语中“うるさい”的意思是“很吵”，写

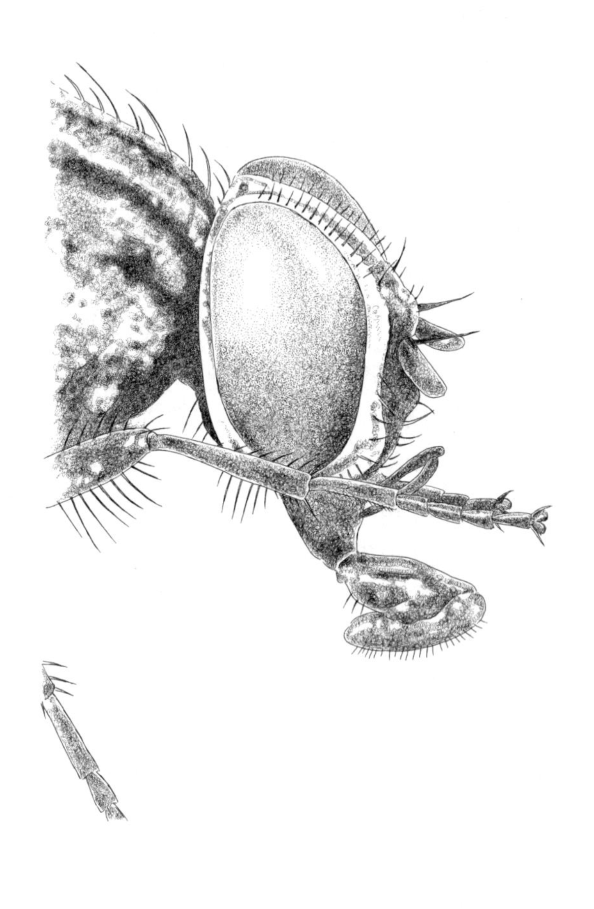

作“五月蝇”，这是大文豪夏目漱石的自创词汇。不过在他之前，就有用“如同农历五月的苍蝇”来形容喧闹事物的说法了。

农历五月就是现在的六月。的确，一到梅雨季节苍蝇就出来活动了。作为变温动物，随着气温回升，苍蝇也越发活跃。当气温升至22摄氏度左右时，苍蝇的活动最为频繁。入夏后，随着气温继续升高，苍蝇反而会越来越迟钝。因此，农历五月就是苍蝇活动的高峰期。五月的苍蝇果然“最吵了”。

苍蝇的嗡嗡声十分刺耳，它以每秒200次的速度拍动翅膀，所以会发出这种高频刺耳的振翅声。关于苍蝇名字的由来，还有一种说法是“はえ”（苍蝇）一词源于“はふるえ”（翅膀振动）。

原则上说，昆虫的翅膀都有两对，苍蝇的翅膀却只有一对。为了能快速拍动翅膀，苍蝇后面的一对翅膀退化了，作为平衡杆来帮助稳定飞行，并使苍蝇能自由自在地做出翻滚、急转弯等飞行特技一般的动作。

虽然横冲直撞的烦人苍蝇是代表夏季的风物诗，但是近年来它们明显减少了。有时，我不禁回想起昭和时代的饭桌，食罩罩着饭菜，周围苍蝇嗡嗡作响，那是段多么令人怀念的时光啊。

虽然苍蝇不招人待见，可连苍蝇都没有的环境，更令人觉得莫名恐怖。如果环境破坏、危机紧逼的话，到时候不得不求饶的可能就是我们人类了。

稻飞虱
——武将的怨恨

源平合战时期有位著名的武将名叫斋藤实盛，在与木曾义仲决一死战时，他的战马不幸被稻草堆绊倒，因而被残酷斩杀。据说他在临死前立下“死后必化为恶虫，毁尽五谷”的誓言。于是，死不瞑目的斋藤实盛化为虫子，将害死自己的稻谷毁于一旦。人们把实盛变成的虫子叫作“实盛虫”。

其实这个实盛虫就是稻飞虱。稻飞虱是种小到只有几毫米的虫子，汲取水稻的汁液，是稻田里的头号害虫。出现大批稻飞虱的话，稻田便会枯萎，同时还可能会导致水稻病害传播。

常见的稻飞虱有背白飞虱、灰飞虱、褐飞虱这三种。某日雨后，稻飞虱横空出世。正因这般神出鬼没，人们才怀疑它们是来自黄泉之下的武将的冤魂吧。其实稻飞虱的突然出现也是有缘由的。稻飞虱主要活跃在东南亚一带。在梅雨季节，它们会伴随距地面500至3000米的气流，和低气压的梅雨锋面一起来到日本。

区区不到5毫米的小虫子，居然是漂洋过海而来的，这对古人来说，是无论如何也想不到的。于是，在某天看到突然出现的大批稻飞虱时，人们便惊恐地以为是实盛公的诅咒应验了。

在没有农药的过去，稻飞虱的出现对水稻种植来说是个致命的打击。因此，人们会在初夏时节点燃火把，边走边敲响钟鼓，说是将害虫恭送到村外。这种仪式叫“送虫”。送虫虽然是个驱虫、祈求丰收的季节性仪式，但是稻飞虱等害虫会“扑火自焚”，所以也能起到直接的驱虫效果。

在一些地区，这种仪式被称为“实盛祭”。人们会制作一个以实盛为原型的稻草人，运往村外焚烧，或扔进河里漂走。可令人不解的是，如果是为了镇压怨念的话，理应将实盛好好供奉起来才是。每年将其焚烧丢弃，只会加重实盛的怨恨吧？所以很有可能实盛的怨念并不存在，或许最初这只是个驱虫的仪式，后来才与实盛的传说结合在一起的吧。那为什么又要把稻飞虱称为实盛虫呢？

仔细观察一下稻飞虱，就会发现它好似头戴战盔、身披铠甲，可能古人由此联想到了武将。此外还有人说，飞虱的身上浮现着实盛的脸庞。确实，飞虱的背上有着复杂的花纹，看上去还真有点像武将怨灵的脸庞。

含恨战死的武将何止千万，为什么偏偏是实盛变成害虫了呢？很可能是因为斋藤实盛（さいとう　さねもり）的姓和名中都带有“さ”。水稻种植中含“さ”的词汇有很多。稻秧又被称为“早苗”（さなえ），插秧少女被称为“早乙女”（さおとめ）。此外插秧的月份叫“皐月”（さつき），而插秧时天赐的雨水叫“五月雨”（さみだれ）。

“さ”指田地之神“稻魂”。插秧时节，神明降临，人们用“さおり”这种祝福语来恭迎神明，插完秧后再以“さのぼり”[6]来恭送神明。等到了春天，稻魂从山中降临村庄，就坐在樱花树上。因此樱花（さくら）便是神明（さ）所坐的地方（くら）。

此外，还有传言说是迎神的“さのぼり”被误传为“さねもり（实盛）”；或是认为带有“さ”的其他词语变成了“さねもりまつり（实盛祭）”或“さねもりむし（实盛虫）”。

如果真是这样的话，那就太冤了，对实盛而言简直就是无妄之灾啊。一直被当成害虫受尽屈辱，想来实盛的灵魂也难以安息吧。

6　おり意为下降、降临；のぼり意为上升。

水黾
——忍者都自愧不如

忍者有种能在水上行走的道具，叫作“水蜘蛛”。据说这是一种固定在木屐四周的木制浮圈，穿上它就能在水面如履平地了。但如果按照传说中水蜘蛛的大小，肯定不够支撑一个人浮于水面。因此，水蜘蛛究竟为何物，忍者又是如何行走于水面的，都尚无定论。另一传言称，它是一种套在身上的浮圈，使忍者悄无声息地在水面漂浮前行。

“水蜘蛛”也是水黾的别名。虽然忍者无法在水上行走，但水黾却能在水面上轻松滑行。连长年修行的忍者都做不到的事，水黾又是怎么做到的呢？

水黾的脚尖长满了细毛。细毛斥水，使水黾借助水表面的张力浮于水面。另外，细毛之间能锁住空气，进一步加强其斥水性。水黾的脚尖还会分泌一种防水蜡，所以不易被浸湿。就算是这么一个小虫子，为了能够在水面行走，也需要准备如此多的装备。也难怪忍者无法轻易驾驭水面了。

可山外有山。虽然水黾能在水面上滑行，但稻田里随处可见的跑蛛[7]能踏水飞奔。有这么一个笑话：要想在水上行走，就要在右脚沉下去之前迈出左脚，

7　跑蛛，又称捕鱼蛛、狡蛛等。

在左脚沉下去之前再迈出右脚。不过，这种方法显然是行不通的。

跑蛛和水黾一样，足尖布满了斥水的细毛，使其能在水面上自如行走。除此之外，在遭遇敌袭时，跑蛛会张开一层空气薄膜，隐匿于水中。空气膜反射光线、呈银色，因此可以用来隐匿身形。跑蛛不仅能凌波微步，还能在水中藏匿。小虫子的世界里，净是些令忍者都望尘莫及的强者。

跑蛛只在部分时间在水面移动奔跑或避敌逃生，水黾却是一天到晚都在水面上生活的水上居民。水黾一边巡视水面，一边寻找食材。掉落在水面的虫子会殊死挣扎，水黾便会通过足尖的细毛感知水波的振动，然后前去捕食落水的虫子。

昆虫一般都有六条腿，但在水面滑行的水黾好像只有四条腿。实际上，水黾将自己的一对前足像镰刀一样折叠了起来，用这对前足来捕捉掉落在水面的虫子。

在日语中水黾叫“あめんぼ”，雨水叫“あめ”。想到我们经常会在雨后的水洼里见到水黾，就会觉得这个名字很是贴切。其实不然，如果写出来，水黾的名字是“飴ん坊”（糖娃儿）。抓住水黾时，它会散发一种奇特的、像是琥珀糖烧焦时的气味，所以才起了这个名字。

实际上，水黾属于蝇蝽科，所以会跟散发臭味的

臭屁虫一样从体内散发气味，只是这个气味跟焦糖差不多。人类闻着可能会觉得是甜味儿，但鱼类非常讨厌它。水黾散发出焦糖一般的气味也是用来防身的。

因为总是出现在有水的地方，水黾在方言中也被叫“水神仙”。相反，水源枯竭的话，它就会飞往其他地方。所以人们才认定水黾是守护水源的存在吧。

水黾因为水面张力得以漂浮在水面，但洗涤剂等表面活性剂会破坏水表面的张力，导致水黾溺毙于水中。因此在生活排水较多的污水中，水黾是无法生存的。水面上漂浮着水黾，意味着周围有足够清澈的水资源。水黾的确是教人分辨恩泽的水神仙。

源氏萤火虫
——萤萤之火为谁而点?

萤火虫将夏夜装饰得如梦似幻。而萤火虫之所以发光，是因为雄性萤火虫在向雌性萤火虫求爱。萤萤之火漫天飞舞的夜晚，的确是爱恋之花盛开的浪漫之夜。

但令人难以置信的是，不只是成年萤火虫，就连幼虫和蛹也会发光。难道它们是在憧憬大人之间的爱情吗？如果说调皮的幼虫会发光也就算了，可就连蛹也会发光，太不可思议了。为什么大人用来求爱的发光术，连幼虫和蛹都会使用呢?

有人认为，萤火虫发光其实是用来避敌防身的。因此，幼虫和蛹也通过发光来自卫。最有力的证明就是只要一碰幼虫，它就会发出强光，好似通过发光来吓跑敌人。

可还是有个疑问。虽说发光能起到威慑作用，但在茫茫夜色中发光就意味着将自身暴露无遗，相当于告知敌人自己的行踪。为了躲避敌人，其他昆虫一般都会隐藏踪迹，不会故意发光暴露自己。

不过，故意暴露以防身的昆虫还有很多，比如之前介绍的配色鲜艳的瓢虫。瓢虫自身带有毒素，所以警告鸟儿千万别误食。同样，萤火虫的幼虫也有毒。比起躲躲藏藏而被误食，还不如一开始就直截了当地

警告对方，以此成功避敌。因此，人们认为萤火虫最开始只是将发光作为自我防御的手段，后来才被成年萤火虫用来互诉爱意。

那么，雌性萤火虫和雄性萤火虫之间又是如何互诉爱意的呢？毕竟，所有萤火虫使用的都是一亮一灭的信号。漆黑的夜晚，只凭这样简单的信号，怎样判断哪个是雄虫，哪个是雌虫呢？

日本最常见的萤火虫包括源氏萤火虫和平家萤火虫。平家萤火虫通过发光频率的差异来辨别雌雄。雄性平家萤火虫每隔0.5秒就发光一次，而停落在草尖上的雌性萤火虫则每隔1秒发光一次。

雄性源氏萤火虫则会成群结队地飞行，渐渐所有雄性萤火虫的发光频率都会保持一致，齐刷刷地重复着一亮一灭的信号；雌性萤火虫则不会这么做。因此当雄性萤火虫一齐变暗的时候，还亮着光的自然就是雌性萤火虫了。就这样，雄性萤火虫找到了停落在草尖上的雌性萤火虫。

平家萤火虫也好，源氏萤火虫也罢，在找到雌性萤火虫之后，雄性萤火虫就会从天而降，落在雌性萤火虫面前。人们将这一景象称为“流火垂落”，这个词也成了萤火虫的名字“火垂る”的由来。

之后，落在雌性萤火虫附近的雄性萤火虫会迅速发光，如果雌虫接受求爱也会提高自己的发光频率，雌雄发光渐趋同频，之后的事情便明了了。

但也有两方没对上眼、雌性萤火虫拒绝雄性萤火虫的时候。雄性萤火虫是如何选择想要告白的雌性萤火虫，雌性萤火虫又是如何选择命中注定的另一半的呢？虽然很神奇，但萤火虫的世界应该也有眼缘这玩意儿。而这一切都属于人类尚未理解的范畴，似乎只靠发光的“感觉”来决定。可即便同为人类，对一见钟情的定义也各不相同，所以我们又怎么能理解萤火虫的择偶标准呢？

油蝉
——蝉都是短命鬼吗?

一到夏天，知了齐鸣。蝉鸣声极具夏日风情，但同时也让炎炎夏日显得更加难耐。

蝉的腹部有种叫作鸣肌的肌肉，以每秒百次的速度伸缩，由此牵动发声膜产生振动，从而发出声音。蝉的腹部还有个中空的共鸣室，起到扩音作用，所以蝉鸣声格外响亮。

蝉鸣声声，其实是雄性蝉在吸引雌性蝉，所以发出蝉鸣声的只可能是雄性蝉。雌性蝉的腹中没有共鸣室，而是装满了卵的卵巢。

话说回来，人们都说蝉的寿命很短暂，这是真的吗?的确，蝉一旦变为成虫，就只剩1至2周的寿命了。可转念一想，在成虫之前，蝉会在地底下度过数年光阴。蝴蝶、蜻蜓、独角仙等大多数昆虫在短期内就从卵生长为成虫，在数月到一年的时间内就结束了一生。如此想来，在地底下就能存活数年的蝉，在昆虫界也算得上是长寿之星了吧。

油蝉是日本最常见的蝉类之一，大约会在地底下度过六年光阴。假如有个上幼儿园的小朋友捉到了一只蝉，那么很可能蝉的年纪比孩子的年纪还要大。

蝉的幼虫期相当漫长，那是因为它们摄取的食物中营养成分比较少。植物的茎含有导管和筛管，导管输送从根部吸收的水分，筛管输送叶子制成的养分。蝉从输送水分的导管中吸食汁液，而导管内的水分只含有极其微量的营养物质，所以幼虫的生长需要花费很长的时间。

那蝉为何不从富含营养成分的筛管中吸食汁液呢？具体原因不详，但有可能是因为筛管中虽富含糖分，却缺少必需氨基酸等养分。相反，也有从富含营养成分的筛管中吸食汁液的昆虫。比如蚜虫（在日语里也叫“油虫”）体内带有能够合成必需氨基酸的共生菌，所以可以从筛管中吸食汁液。可是以筛管汁液为食的蚜虫在出生后一周左右就会羽化成虫，十余天便结束一生。看来昆虫的世界也跟人类的一样，粗茶淡饭才是长寿的秘诀。

油蝉和油虫虽然名字相似，却选择了截然不同的生活方式，很有意思。

蝉在生长缓慢的幼虫时期吸食导管中的汁液，可成虫需要在短暂的一生中四处飞行并成功产卵。于是，成虫需要更高效地吸收营养，便开始从筛管中吸食汁液。只是筛管中大部分也是水，为了摄取营养，油蝉成虫不得不吸食大量汁液，于是多余的水分便会以尿液的形式排出体外。所以当小孩子拿着捕虫网靠近时，蝉会着急忙慌地想要振翅而逃、牵动肌肉，体内的尿液就被挤了出来。这就是为什么在捕蝉时常常会被溅一脸的尿。

长时间粗茶淡饭的油蝉看起来却像是热量摄取过度的样子。翅膀的颜色就像是被日头暴晒出了一层油脂似的，叫声也极为油腻。有人说它们是因为有一对像油纸一样的棕色翅膀才被称为油蝉，也有人说是因为“嗞嗞”的叫声很像油炸的声音，因而得名。全世界已知的蝉大约有3000种，绝大多数蝉的翅膀都是透明的，像油蝉那样带有颜色的翅膀十分罕见。

从前，油蝉随处可见，近年来却越来越少了。在东京，油蝉被越来越多的斑透翅蝉替代；在大阪，熊蝉逐渐替代了油蝉，呈上升趋势。虽说油蝉逐渐减少的原因尚不明确，但油蝉喜欢潮湿的地方，所以有人说可能是城市气候干燥所致，也有人说是因为在城市公园和路边栽种的树木并不适合油蝉栖息。

在日本，世界闻名的油蝉正在逐渐消失，太令人惋惜了。

沫蝉
——泡沫生活

有时我们会看到草茎上有白色泡沫，就像唾沫似的。人们称之为“蛇涎”或者“蛙尿”，可始作俑者却是只小虫子。其实看一下泡沫里面，就会发现有小虫子。而这只小虫子正是沫蝉的幼虫。看似唾沫的泡沫，其实是沫蝉的幼虫为了躲避外敌而构筑的巢穴。沫蝉，意为泡沫之蝉。

沫蝉与蝉是近亲关系，身形比蝉要小，最常见的柳沫蝉就长得很像蟪蛄[8]。沫蝉的巢看起来很像唾沫，所以从里面出来的虫子也被称为唾沫虫。而且这种虫子的尾部呈红色，所以古人以为它们是萤火虫的幼虫，这些白色泡沫也被称为“萤火虫的宿舍”。

沫蝉的泡沫其实是由尿液形成的。讲到油蝉时，我们介绍过从根部吸收水分输送到叶子的导管和输送由叶子合成的营养成分的筛管，蝉的幼虫从营养成分极少的导管中吸食汁液。沫蝉的幼虫也是一样，将口器插进植物的茎部，从导管中汲取养分。

但导管内的液体几乎都是水分，只含极其微量的营养成分。因此为了获得养分，沫蝉的幼虫也不得不大量吸食导管内的液体，并将多余的液体以尿液的形

8　蟪蛄，一种体形较小的蝉。

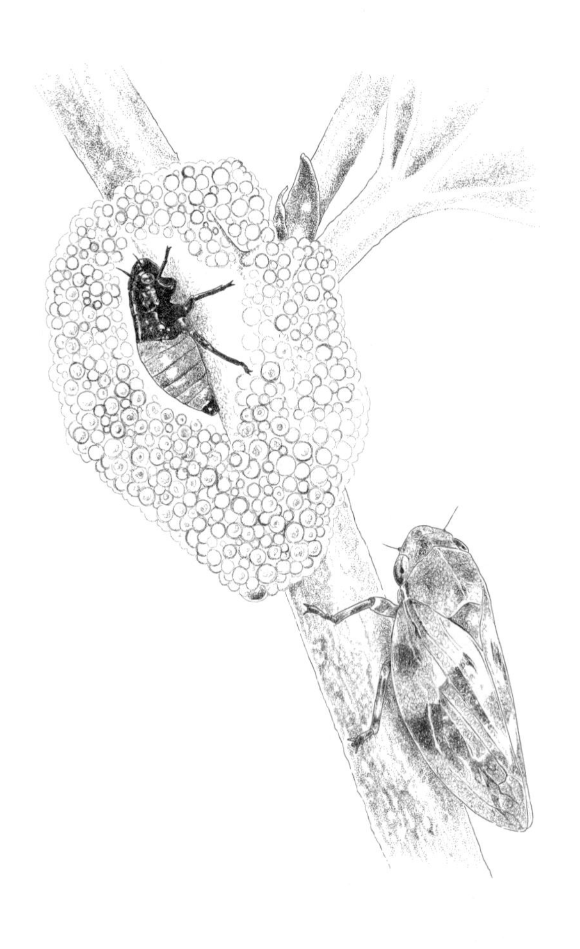

式排出体外。沫蝉就以这些尿液为原料为自己筑巢。

沫蝉的幼虫在尿液中混入了分泌液，与腹中的空气一起排出便形成了泡沫。在成虫之前，幼虫会一直生活在泡沫之中。之后，就像蝉破土而出一般，沫蝉会从泡沫中出来，羽化成虫，离巢远去。

用尿液做的泡沫看似弱不禁风，其实含有蜡状物质和纤维状蛋白质，远比看上去更为坚实。不管是下雨还是晴天，都绝不会像肥皂泡一样一碰就破，也完全不同于人类社会随随便便就崩盘的经济泡沫。

话说，日本自古以来就流传着一种即使晴天也会下雨的神奇之树的传说。我认为这里说的应该就是沫蝉。沫蝉幼虫的巢穴滴落，让人误以为是在下雨。古人绝对想不到如此浪漫的树雨，其实是从树上滴下来的昆虫尿液吧。

卷叶象鼻虫
——长脖子的理由

不经意间在喜欢的人面前掉落一封情书，希望意中人能够看到。这便是过去曾有过的浪漫告白式。在日语中，像这样故意掉落的情书被称为“落文”。古人定是一边想着心仪之人，一边全情投入地书写着情书吧。

自然界中也有被称为“落文”的东西，而且也是拼尽了全力。从前人们认为那些像落文一样的卷叶是鸟儿做的，所以称之为“杜鹃的落文”或者“布谷鸟的信”。可事实上，做出这种卷叶落文的是一种小虫子，在日语里也叫“落文”。

一只小小的虫子要做这么大一个卷叶落文，需要相当大的力气吧。雌性卷叶象鼻虫的前足就像漫画里大力水手的肱二头肌一样强劲有力。而卷叶象鼻虫的卷叶落文并不是做给谁看的，而是用来产卵的。包裹在卷叶中的幼虫可以慢慢地吃着树叶长大。总之，这个卷叶是虫卵和幼虫的保护仓，同时又是粮仓。摇篮般的卷叶为幼虫提供了安全的成长环境。于是，卷叶象鼻虫的幼虫在摇篮中变成蛹，直到最后化为成虫才出来。

卷叶象鼻虫的脖子就像长颈鹿的长脖子一样。长颈鹿之所以脖子长是为了够到高处的树叶，那么卷叶

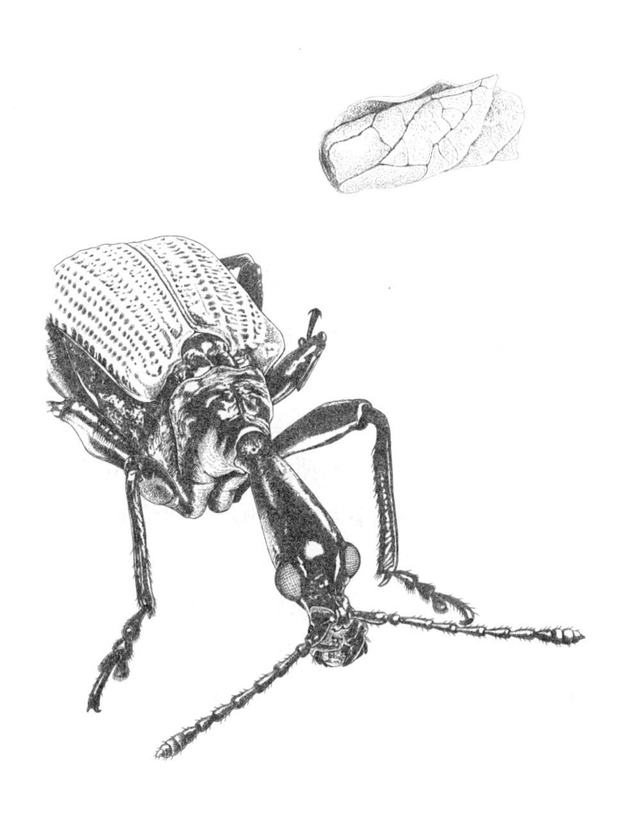

象鼻虫的脖子又为何会这么长呢?

要知道，卷叶象鼻虫的摇篮是用树叶卷起来的。不到1厘米的小虫子要将树叶卷好，是多么艰巨的任务啊。想象一个人清理一个大型赏花会的现场，或是独自将一张铺满整个房间的防潮垫叠起来，便知道卷叶象鼻虫有多辛苦了吧。完成这个艰难的任务需要一边将树叶牢牢抓紧，一边卷起树叶，光靠手脚是不够的，还得灵活地运用嘴巴。因此，为了让嘴巴也能派上用场，卷叶象鼻虫才进化出了又长又灵活的脖子。

让我们来看一看“卷叶落文”是如何制作的吧。雌性卷叶象鼻虫会从叶子左右边缘的中部出发，向叶子的中心行进，用嘴巴将叶子咬出切口。这时需要特别小心，不能弄断中间的主叶脉，否则在叶子上的卷叶象鼻虫就会跟随叶子一同掉落地面。当然，作为专业师傅的卷叶象鼻虫是不会犯这种低级错误的。

卷叶象鼻虫一边警惕着不要切断树叶，一边小心翼翼地咬着叶脉。如此便可以切断树叶的水分供给，让树叶枯萎。树叶稍微变软之后，卷叶象鼻虫便将叶子从左右两侧往中间对折，再从叶尖卷起叶子。在卷的过程中，产下一颗卵。之后再继续卷，直到卷完之后将两侧向内折叠形成盖子。一个完美的“落文”就完成了。

多么令人叹为观止的复杂工艺呀。在最开始时，并无人传授，卷叶象鼻虫是怎样学会如此复杂的工程的呢？或者说，卷叶象鼻虫的祖先为什么会想要做这样的工程？越想越觉得不可思议。

卷叶象鼻虫有很多种类。其中有选择直接就让卷叶挂在树枝上的，也有最后将叶子咬断使卷叶掉到地上的。不管哪种，为产一颗卵，都得完成这么一项大工程，卷叶象鼻虫的妈妈真是太不容易了。

可是并不需要做摇篮的雄性卷叶象鼻虫的脖子居然比雌虫的还要长，这又是为什么呢？在卷叶象鼻虫中，雄虫争夺雌虫的方式有些与众不同。雄虫会将身体立起来，伸长脖子，再伸长触角，让身体看起来更大，像这样比身高来定输赢。多么祥和的比赛啊。尽管没什么实用性，但就因为这个比赛规则，雄虫的脖子才越来越长。

雄性卷叶象鼻虫在与雌虫交配之后，似乎是为了防止其他雄虫靠近一般，会寸步不离地守着雌虫的作业现场。它们也不帮忙，有时甚至会妨碍到雌虫干活，只是在一旁默默等着雌虫把摇篮做完。

雌虫做完一个摇篮大概需要1至2小时。在此期间，雄虫就一直守着雌虫直到竣工。简直像极了在家门口不耐烦地等妻子出门的丈夫，只是帮不上忙的雄虫不会说“你到底要我等到什么时候”这样无情的话，只是默默地守候着。

蟑螂
——遭人嫌弃的英雄

“速度快过子弹，力气大过火车，就算万丈高楼亦能一跃而过。”这里所说的是无敌英雄超人的超能力。但如果你认为这只是存在于电影的虚构情节，那就大错特错了。拥有这种超能力的家伙其实就在我们身边。

时速高达300千米，具有超强爆发力，只需0.5秒便能洞察危机，避敌于千钧一发之际；如同忍者一般悄无声息地潜入缝隙之中，也能跟蜘蛛侠一样飞檐走壁。当然，还会飞，甚至有一副被称为不死之身的躯体。

可令人意外的是，就是这么一个无敌英雄，居然没人喜欢。这个英雄就是蟑螂。当然，时速300千米是将蟑螂换算成人类同等大小时的速度，可即便如此，也够令人瞠目结舌的了。

在你刚要拿拖鞋去拍蟑螂时，它就会先一步察觉、逃之夭夭。这是因为蟑螂的尾部有着被称为尾须的感觉器官，上面长有无数细毛，能感应到微弱的气流变化。另外，人类用一个大脑来处理信息，但昆虫有许多小型的“大脑”[9]分散在身体各处，使各个关键

---

9 即神经节。

部位能够条件反射般地做出反应。在面临危机时，昆虫便能瞬间行动起来。

更诡异的是，用拖鞋拍蟑螂时，就算蟑螂的头被拍掉了，剩下的身子还能继续逃跑。虽然这种诡异的能力可能不太符合英雄的形象，但正是因为操控身体的命令系统分散在全身各处，蟑螂才会在掉了脑袋之后继续逃跑。

更惊人的是，从3亿年前的古生代开始，蟑螂就差不多以如今的样子生活在丛林之中了。古生代可是恐龙都还未诞生的远古时代，蟑螂出现在地球上的时间居然比恐龙还早。它们历经了恐龙时代，甚至熬过了导致恐龙灭绝的地球环境大变动，存活至今。智人出现在约20万年前，因此现代人类存在的时间还不到蟑螂的千分之一。在元老级的蟑螂看来，人类就像昨天才加入的新成员一般。

但人类却给蟑螂的生活带来了巨大的变化。对一直生活在温暖且食物充沛的森林中的蟑螂来说，人类的居住环境也十分舒适惬意。于是早在新石器时代，蟑螂就和人类共居一室了。尽管在人类眼中，我们与蟑螂相交已久；可对蟑螂来说，或许这只是最近才发生的变化而已。

并非所有的蟑螂都能在人类居所生存。目前在日本大约有40种蟑螂，其中跟人类居住在一起的主要是日本大蠊、黑胸大蠊和德国小蠊，其他蟑螂至今还

生活在森林之中。

像腔棘鱼和鲎等保留着古代形态的生物是备受关注的“活化石”。可同样是“活化石”的蟑螂却遭到各种方式的围捕剿杀，其中许多手段甚为残忍。除了蟑螂，从古生代开始就没变过样的还有白蚁和衣鱼。白蚁侵蚀柱子而遭人厌恶，衣鱼也会蛀蚀窗户纸和书籍。昆虫界里的“活化石”都是害虫。虽然一直不受待见，却能一直在人类家中生活，恐怕得归功于熬过了3亿年的韧性吧。

无论人类如何对付蟑螂，我觉得蟑螂都在不断地进化，从未败给人类。人类想尽办法来对付蟑螂，可蟑螂依旧顽强地活着。如今甚至出现了连杀虫剂都无能为力的抗药性蟑螂，完全就像是对人类肤浅的科学技术的嘲笑。

正因有如此顽强的生命力，蟑螂才能在环境激变的地球上存活长达3亿年之久。

日本黑褐蚁
——家族的起源

在希腊神话中，有一个皆是女战士的民族，那就是“亚马逊人”。可就在我们身边，也有一个以女性为中心、能使亚马逊人都大惊失色的部族，那就是蚂蚁。

蚂蚁是以蚁后为首的母系社会。从工蚁到担任战斗主力的兵蚁，所有在干活的蚂蚁皆为雌性。之所以说所有干活的蚂蚁，是因为雄性蚂蚁虽然存在，但只是被包养着，整日游手好闲。在女性社会中，雄性蚂蚁的存在就只是用来绵延子嗣而已。

反之，雌性蚂蚁个个是劳模，兢兢业业地忙于工作。蚂蚁会为了集体而不惜牺牲自我。工蚁为大家搬来食物、分享食物。兵蚁在遇到外敌来袭时，誓死守护着巢穴。

话虽如此，为什么蚂蚁能够如此死心塌地地为家族奉献呢？工蚁也是雌性，比起为蚁后工作，留下自己的子孙后代不是更好吗？这个秘密就在于蚂蚁的生殖模式。因为只有蚁后才能分别产下雌卵和雄卵。蚁后体内储存着之前交配时获得的精子，通过体内受精产卵，受精后产下的卵全部都是雌性蚂蚁，而没有受精就产下的卵只能是雄性蚂蚁。

许多生物都带有一对性染色体。孩子会从父母双方的一对染色体中各取一个继承下来，也就是说自己的基因会有一半遗传给孩子。基因相似度即血缘相似度。如果是自己孩子的话，血缘相似度就是50%。蚂蚁的情况也是如此，雌性蚂蚁的基因一半来自母亲，一半来自父亲，所以血缘相似度也是50%。但是，雄蚁由未受精的卵发育而来，只有一半的染色体。因此，工蚁从雄蚁父亲那里继承的基因是完全相同的。

如果再仔细琢磨一下蚂蚁之间的姐妹关系，就会发现一件很神奇的事情。工蚁和它的姐妹从雄蚁那边继承下来的基因都是一样的，所以这一边的血缘相似度在100%；从蚁后那边继承相同基因的概率为50%。所以姐妹之间的血缘相似度就是100%加50%之和除以2，即75%。计算有点复杂，但就结论而言，比起自己的孩子，姐妹之间的血缘相似度更高。总之，对工蚁来说，与其留下自己的孩子还不如维持血缘相似度更高的姐妹关系，通过姐妹代代相传，能更有效地留下自己的遗传基因。

我们觉得自家孩子可爱，是因为自家孩子有自己的遗传基因。所有生物都有遗传基因，也都会想让自己的基因开枝散叶。就如同我们人类会为了自己的孩子不辞辛劳一样，哪怕是牺牲自己，蚂蚁也会由衷地深爱着由姐妹构成的大家庭吧。

那么接下来就让我们去往日本最常见的日本黑褐蚁的巢穴，一探究竟吧。

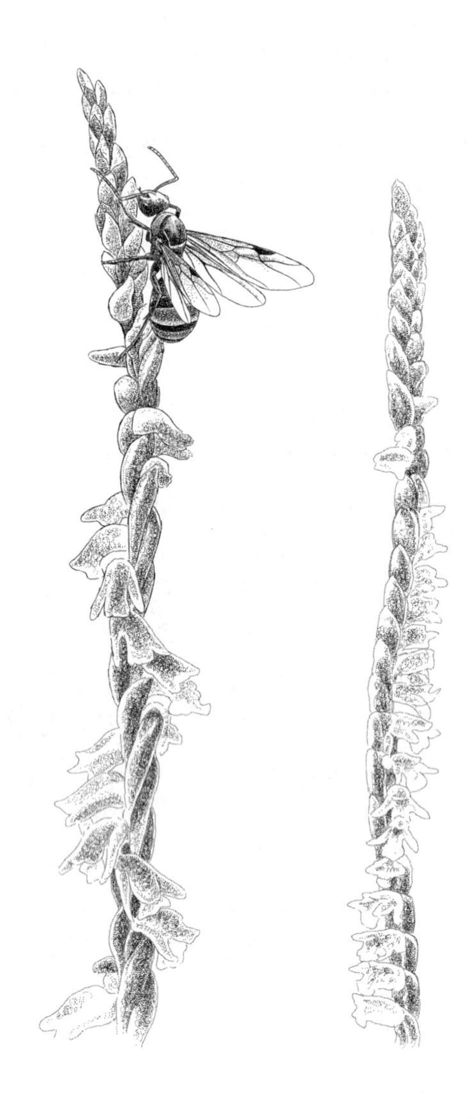

随着群体逐渐壮大，蚁后最终会产下几十只可能成为新蚁后的雌性蚂蚁和数百只雄性蚂蚁。这些蚂蚁都有翅膀，也就是所谓的飞蚁。这群雌雄飞蚁会在5月至6月的某个闷热的白天，一同飞离巢穴。在同一时期，其他巢穴的飞蚁也会一齐出现。它们在空中交配，被称为“婚飞”。在婚飞中，雌性蚂蚁将雄性蚂蚁体内的精子尽数收集，储存在体内。婚飞结束时，雄性蚂蚁便失去了价值。无论是完成交配成为父亲的雄性蚂蚁，还是未完成交配的雄性蚂蚁，所有的雄性蚂蚁都会死去。

随后，蚁后会构建一个新的巢穴，作为单亲母亲独自拉扯孩子长大。蚂蚁的成虫只需甜食就能生存下去，但幼虫的成长必须要有蛋白质。于是蚁后便会褪去自己的翅膀，并将曾用于飞行的肌肉作为食物哺育幼虫，用自己的身体供孩子成长。当最初的幼虫都变成工蚁之后，蚁后便只用产卵度日即可。接着，这个小家庭会渐渐发展成由数以万计的成员组成的庞大组织。

就像大型企业在初创时期都是从一家小作坊慢慢发展而来的一样，庞大的蚂蚁大家族也是从温馨的小家开始的，所有蚁穴的发展史都是部创业的传奇剧。

武士蚁[10]
——卑劣的武士魂

以动物作为LOGO的搬家公司和运输公司特别多。有力大无穷的搬货大象、送信的信鸽、亲子搬家的花嘴鸭、用大嘴运鱼的鹈鹕、风驰电掣的豹子、口袋里装着宝宝的袋鼠妈妈和叼着小猫移动的猫妈妈等，简直就像个动物园。这么看来，搬东西的动物还真多呀。

此外，还有蚂蚁。蚂蚁给人的印象总是齐心协力地搬运着巨大的食物。在自然界也的确存在名副其实的“蚂蚁搬家”。某个夏日的午后，成百上千的蚂蚁会排起长队，扛着幼虫和带蛹的茧大举迁徙。人们以为这是蚂蚁一家在搬离不宜居住的老巢，迁往新的地方。

其实这是个天大的误会，这并非蚂蚁举家迁徙的温馨画面。这种叫武士蚁的蚂蚁有着尖锐的上颚，但并不会自己觅食。武士蚁偷袭了日本黑褐蚁的巢穴，抢走了茧，让破茧而出的日本黑褐蚁成为自己的奴隶，为自己干活、寻找食物。看似是蚂蚁搬家，其实是武士蚁刚刚结束了一场奴隶掠夺战，将抢来的茧作为战利品带回自己的巢穴。简直是夏日午后的一场残

10　武士蚁，又称斗士悍蚁或强盗蚁。

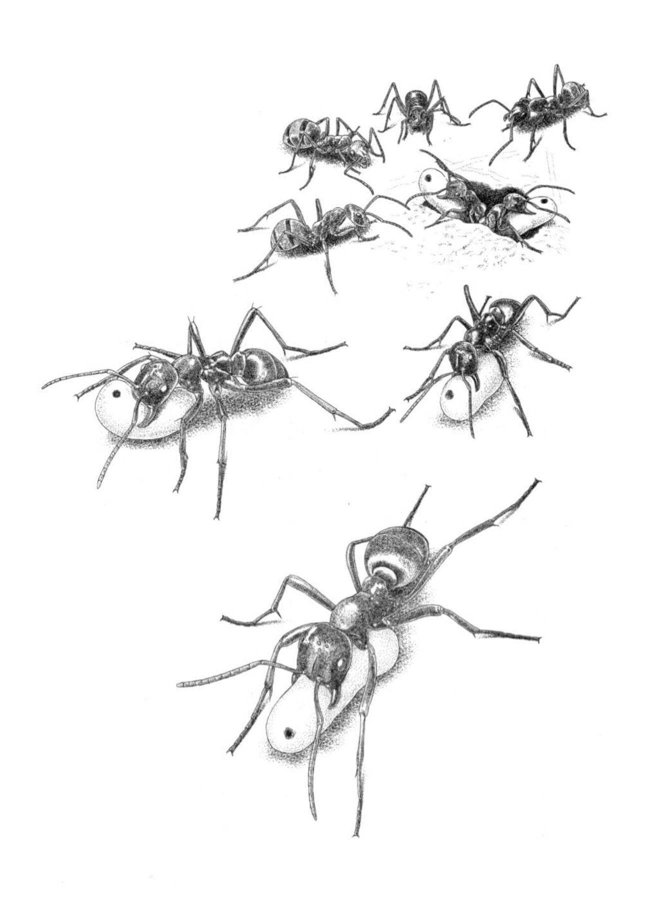

忍血案啊。

武士蚁的奴隶掠夺战也是一次有计划的预谋。首先，一旦武士蚁的侦察兵发现了日本黑褐蚁的巢穴，便会推测该巢穴的规模和茧的数量。如果巢穴中有足够的茧以供抢夺，侦察兵就会一路用引路信息素做下记号，返回巢穴。随后，大群武士蚁列队出发，顺着引路信息素，一路直逼日本黑褐蚁的巢穴。最先抵达的武士蚁先锋部队会遭到日本黑褐蚁守卫兵的袭击。余下的大部队便趁着双方交战之际，长驱直入，直接抢夺蚁茧。如果将能立马干活的工蚁抢回去，工蚁会立刻逃走或进行反抗。因此将毫无抵抗力的蚁茧带回才是最佳之选。

破茧而出的日本黑褐蚁为武士蚁觅食筑巢、抚养幼虫。只是这些可怜的奴隶并不知道自己是奴隶。蚂蚁靠特有的气味来判断对方是否为同伴。武士蚁在接触过奴隶之后，便会带有日本黑褐蚁的气味。因此，奴隶深信诱拐了自己的武士蚁是一家人，无怨无悔地为之劳动。

其实，武士蚁大家族也是从一只蚁后起家的。可单枪匹马的蚁后是如何掠夺奴隶的呢？武士蚁的蚁后采取了大胆无畏的行动，一旦找到日本黑褐蚁的巢穴，便孤身勇闯巢穴，将日本黑褐蚁蚁后咬死，抢占整个巢穴。之后，武士蚁蚁后便在这里孕育自己的蚁卵，将之变为武士蚁巢穴。

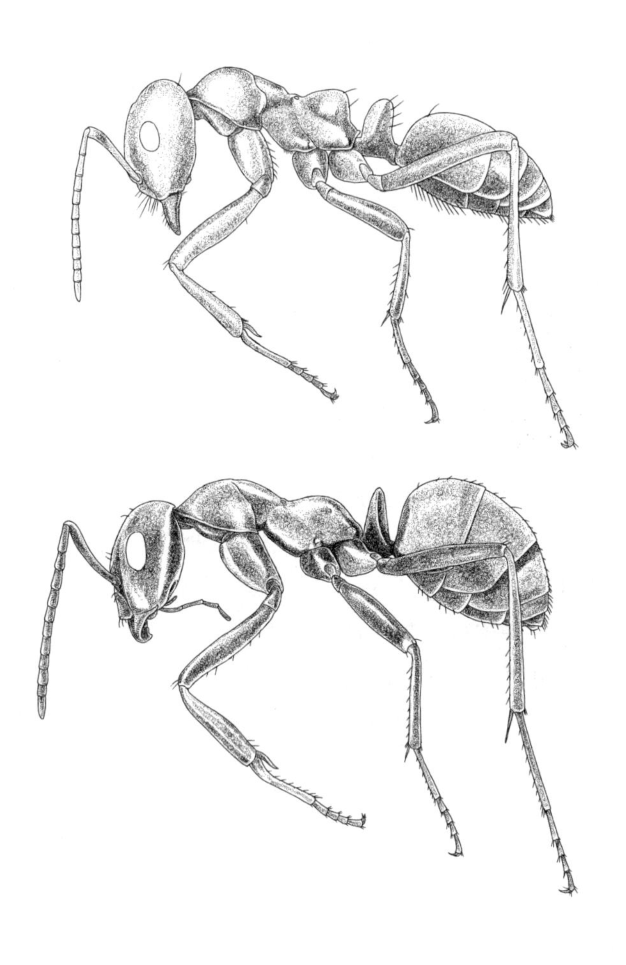

奴隶蚁一旦死去，便会造成劳动力不足，于是武士蚁需要再次出发去掠夺新的奴隶。即使武士蚁袭击日本黑褐蚁的巢穴，也绝对不会将目标尽数消灭。这样做的话，过一段时间还能再次袭击同一个巢穴，重新获得奴隶。

行径如此卑劣、毫无武士精神的蚂蚁却被称为“武士”，确实有点不合适。但从“不劳而获”的角度来看，叫“武士”也算名正言顺。

可能武士蚁原本也和日本黑褐蚁一样，都是自力更生的劳动者，但不知怎的就萌生出了驱使别的蚂蚁为自己劳动的大胆想法，进化成了靠拼命掠夺奴隶才能得以生存的蚂蚁。觅食、筑巢等技能早已被它们忘得一干二净，导致现如今的武士蚁离开了日本黑褐蚁便无法生存。如果找不到日本黑褐蚁的巢穴，那就是性命攸关的大事了。

但好像不劳而获的日子也并不轻松。我反倒觉得，与其日日身处危机、忧心忡忡地度日，还不如自食其力来得自在，你们觉得呢?

蚁狮（蚁蛉）
——伟大的土木工程师

有个词叫作“万丈深渊”，“深渊”在佛教中是坠入地狱之意。蚂蚁对此应该深有体会。偶然路过的蚂蚁失足落入被挖成漏斗状的空洼地，就如同坠入了深渊。蚂蚁拼命地往上爬，但沙土崩塌，想要逃脱并非易事。刚一爬上来，又有沙子从下方飞来，阻挡蚂蚁逃脱。

向逃命的蚂蚁投掷沙子、使其陷入地狱的使者正是这个洞穴的主人——蚁狮。蚁狮挖出漏斗状的洞并潜伏在洞中，张开獠牙静待猎物上门；之后，通过上下摆动头部将沙子抛出。

蚂蚁有着尖锐的爪子，能在垂直的墙壁上爬行。如果这只是个简单的漏斗状洞穴，蚂蚁轻而易举地就能爬出去。但在堆放沙子时，保持沙子不崩落的最大角度被称为安息角。蚁狮挖的漏斗状洞穴就呈安息角。因此，当蚂蚁失足跌入之后，就超出了沙土保持稳定的临界点，沙土便会崩落。

蚁狮是多么伟大的土木工程师啊。而且，安息角并非是一成不变的。沙子潮湿便不容易崩塌，安息角就会大一些。所以蚁狮需要根据当时的湿度随时调整洞穴的倾斜度，神乎其神。

对于蚂蚁，这就是地狱般可怕的存在；但对蚁狮

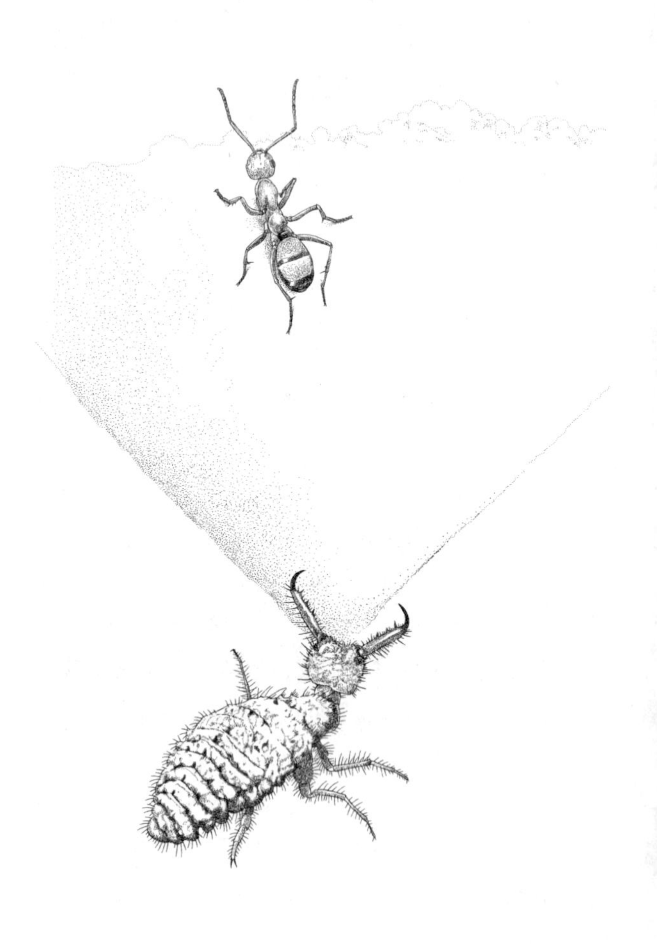

来说，生活也并不轻松。只是挖个洞，并不会提高蚂蚁掉落的概率。蚁狮只能日复一日、默默等待蚂蚁掉下来，而且蚂蚁逃脱之事也多有发生，因此狩猎的成功率并不高。

蚁狮的生命力极其顽强，即便三个月捕不到猎物也能照样生存，不过这也足以说明抓到猎物的概率有多低了。忍饥挨饿只为等待蚂蚁失足落入陷阱的蚁狮，过的才是地狱般的日子啊。如果排便，一直蜗居在洞底的蚁狮就会弄脏洞底。因此蚁狮没有肛门，虽然有类似尿液的液体排出体外的情况发生，但在成虫前的2至4年，它们基本上是不排粪便的。这简直是便秘地狱。在结束漫长的苦修、羽化成虫之际，蚁狮将多年积攒的粪便一次性排出。想象一下，就好像有一种从地狱直升天堂的快感。

蚁狮是蚁蛉的幼虫。华丽蜕变后的蚁蛉，从丑陋不堪的蚁狮变成了超乎想象的纤细模样。仿佛多年积攒的东西一下子得到了释放，化身为清爽感爆棚、极具透明感的虫子。虽然幼年时地狱般的日子已成过去，但长大后的蚁蛉依旧是一副弱不禁风的样子。

而且地狱并未结束。成虫后的蚁蛉只能存活2至3周，而且在此期间完全不吃不喝。便秘地狱之后便是绝食地狱，确实是一辈子都在地狱里煎熬的悲壮一生啊。

酢浆灰蝶
——都市的宝石

拥有翠绿色光泽翅膀的翠灰蝶被誉为“会飞的宝石”，深受蝴蝶爱好者的喜爱。翠灰蝶大多出没在郁郁葱葱的森林，可我们很少有机会走进大自然。在被混凝土包裹的城市中，想要一睹“会飞的宝石”，无疑是种奢望。

虽然难以见到翠绿色的翠灰蝶，但是我们可以在城市看到蓝宝石颜色的灰蝶。那就是酢浆灰蝶。酢浆灰蝶的幼虫主要以酢浆草为食，而只靠城市路边一点点的土壤这种杂草就能生长，因此酢浆灰蝶才能在植被稀缺的城市中生存。城市中鲜花也不多见，破茧而出的酢浆灰蝶却能以酢浆草的花蜜为食。全仰仗酢浆草，酢浆灰蝶才得以在城市环境中存活。

酢浆草能在土壤稀缺的城市中生长，也有其特别的理由。酢浆草的种子带有蚂蚁最喜欢的果冻状物质。蚂蚁以为是食物，便把种子搬回巢穴，吃完果冻部分之后，便把剩下的种子扔到巢外。因为蚁穴通常都在土壤丰富的地方，酢浆草的种子便能就地生长。酢浆草巧妙地利用了蚂蚁，在土壤稀缺的城市中得以繁衍。

在生物种类不多的城市中，蚂蚁似乎是特别容易被利用的好搭档。酢浆灰蝶也不甘示弱地利用着蚂

蚁。行动迟缓的小幼虫特别容易成为蚂蚁的猎物，但酢浆灰蝶的幼虫会从体内释放出蚂蚁喜爱的甘甜蜜汁，主动把蚂蚁吸引过来。被蜜汁引来的蚂蚁，别说攻击幼虫了，甚至还会向酢浆灰蝶的幼虫讨要蜜汁。就这样，酢浆灰蝶的幼虫完美地拿捏了蚂蚁。

酢浆灰蝶的幼虫甚至还会从尾部突起的部分释放出一种气体，其中含有能令蚂蚁兴奋的物质。实际上这种物质很像蚂蚁在遭遇敌袭时用来联络同伴的警戒物质，蚂蚁便时刻防备着外敌来袭。因此，酢浆灰蝶的幼虫不仅不会被蚂蚁攻击，甚至还能让蚂蚁成为自己的保镖，免受天敌寄生蜂的威胁。

另一种学会与蚂蚁结盟的灰蝶会使用更进一步的手段来利用蚂蚁。黑灰蝶的幼虫不仅会和酢浆灰蝶的幼虫一样分泌蚂蚁最爱的蜜汁，甚至还会分泌散发类似雄性蚂蚁气味的物质。之前我们提到雄蚁整日游手好闲，全靠工蚁来喂养。因此工蚁一旦找到散发着雄蚁气味的黑灰蝶幼虫，就会小心翼翼地将其搬回蚁穴。于是黑灰蝶的幼虫一直到成茧之前都由蚂蚁亲自喂养长大。一旦离开了蚂蚁，黑灰蝶的幼虫便难以生存。

另外，作为投喂的回报，黑灰蝶的幼虫会向蚂蚁提供蜜汁。就这样，黑灰蝶和蚂蚁之间形成了一种互利互惠的关系。最后，黑灰蝶的幼虫会移居到蚁穴出口附近的房间作茧成蛹。

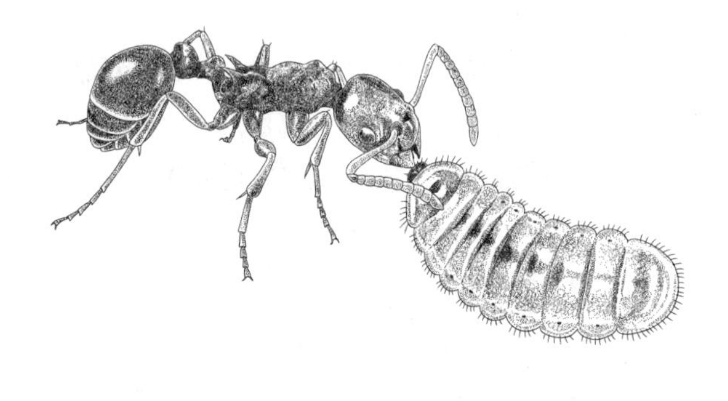

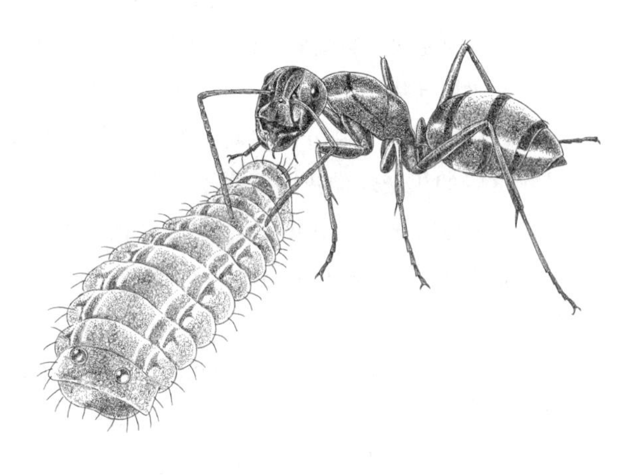

特地换房间也是别有用意。黑灰蝶只有在幼虫时期才会分泌散发这种特殊气味的物质，破茧而出的黑灰蝶闻起来不再像雄蚁，便会遭到蚂蚁的攻击。因此成蝶后的黑灰蝶必须即刻逃离蚁穴。

虽然黑灰蝶成功地利用了蚂蚁，但一山更比一山高。胡麻霾灰蝶的幼虫和黑灰蝶一样，因为散发着与蚂蚁一样的气味而被工蚁搬回蚁穴，但是入住蚁穴的胡麻霾灰蝶幼虫却一边分泌蜜汁笼络蚂蚁，一边津津有味地吃掉蚂蚁的幼虫。由于胡麻霾灰蝶的幼虫会完全覆盖住蚂蚁的幼虫进食，所以就算是就在一旁的蚂蚁也全然不知。蚂蚁的幼虫便接二连三、悄无声息地被残害，因而获得营养的胡麻霾灰蝶的幼虫却茁壮成长。

多么可怕的蝴蝶啊，简直是防不胜防，对于蚂蚁来说可是不速之客。灰蝶一族的体形都很小，但就算如此，也断然不能小瞧了它们。

锹甲
——灌木丛里的老二

在万众瞩目的老大身后，一定有个老二。锹甲就是灌木丛里的老二。灌木丛里的树液吸引着各种各样的昆虫，其中最强大的“横纲”[11]就是独角仙，其次才是第二强的锹甲。

在日语中，独角仙也叫“兜虫”，因为它的角看上去很像日本战国时期武将的兜[12]。武将头盔上像角一样的装饰被称为锹形前立，而“锹甲”的名字正来源于它那和锹形前立十分相似的大颚。

独角仙与锹甲在灌木丛里的激战，就像是两名戴着头盔的武士在决斗。武将头盔上的锹形前立仅用来彰显实力、振奋军心，而独角仙的角和锹甲的大颚却是实实在在的战斗武器。

锹甲与独角仙的战斗通常都以锹甲被独角仙的角插入体下再被抛出去而告终。锹甲就像只弱小的陪练犬，只为彰显独角仙的强大。但有时，锹甲也会用引以为傲的大颚一把刺破独角仙的身体、击败对手。所以它们也并非次次必败。

虽然锹甲经常输给独角仙，但寿命远比独角仙的要长。独角仙在秋季产卵，次年夏天成虫，大约有一

11　横纲，日本相扑运动中的最高级。
12　即武将的头盔，来源于古汉语“兜鍪”。

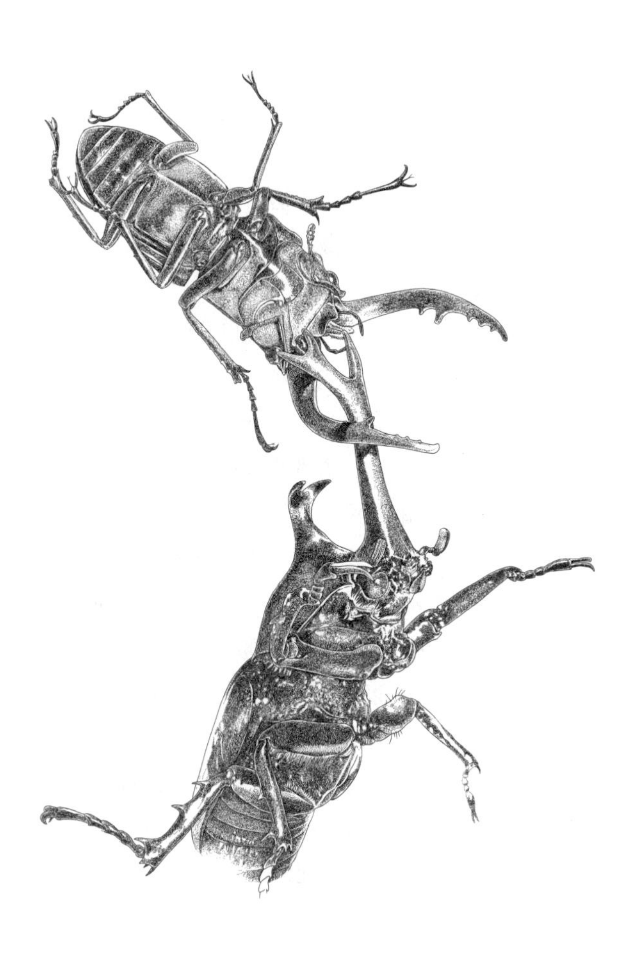

年的寿命；可就算是锹甲中寿命较短的锯锹形虫，也能活2至4年。虽然成虫后的锯形锹虫和独角仙都会在秋天死去，但大锹甲和小锹甲等锹甲在成虫后仍可以越冬，甚至还能活好几年。

锹甲的幼虫期之所以很漫长，是因为独角仙以营养丰富的腐叶为食，而锹甲的幼虫以养分较少的腐木为食。由于锹甲只能慢慢摄取营养，所以需要花费更长的时间才能变为成虫。

锹甲所食朽木的主要成分是难以分解的植物纤维木质素。而自然界中存在能分解木质素的菌类，所以锹甲以真菌分解木质素后产生的纤维素为食。只是纤维素也和植物纤维一样，通常不能被分解。但锹甲体内共生着一种能分解纤维素的微生物来获取养分。为了生存，锹甲必须与自然界建立共生共存的关系。

锯锹形虫因有锯齿状大颚而得名。可是，即使是相同种类的锯锹形虫，有如弯弓般帅气逼人的大颚，也有短小笔直的颚，很难想象它们居然同属一类。其实这种差异是由幼虫时期不同的生长环境造成的。

我们可能会觉得幼虫在气温高、食物充沛的环境下会长得更帅气些，可事实恰恰相反。在优渥环境中成长的幼虫因为发育期短、很快就变为成虫，所以大颚不能充分地生长。反之，在食物匮乏的情况下，幼虫就需要花时间慢慢成长，如此才能造就帅气的大颚。拥有超级大颚的锯锹形虫，真可谓大器晚成。

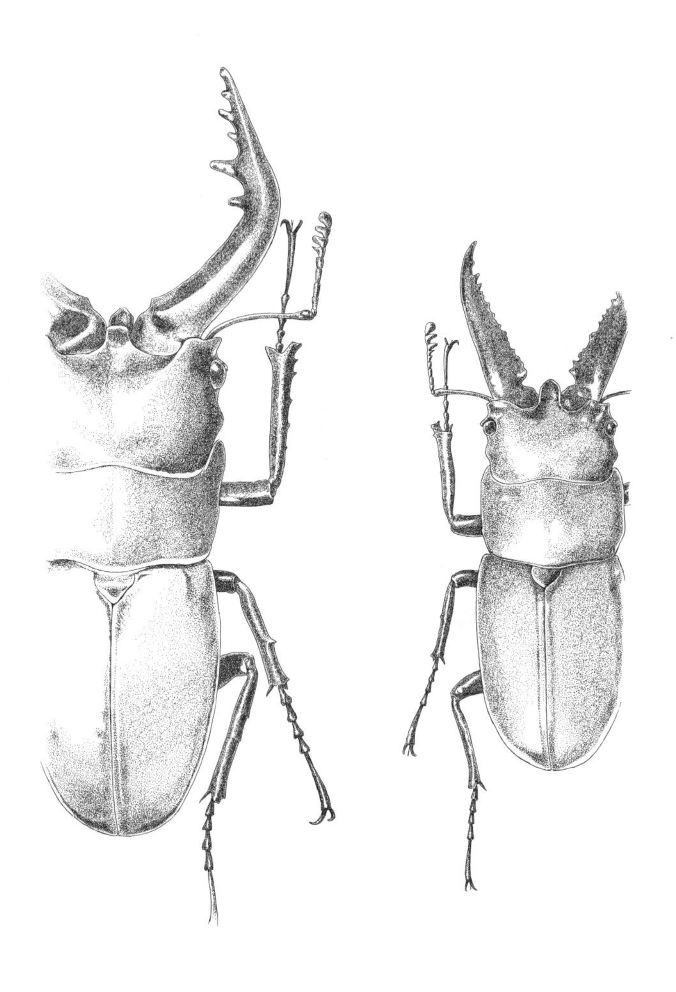

要想捉锹甲并不难，朝树干一阵猛踢，锹甲便会从树上掉下来装死，然后直接捡回家就行了。以前，容易抓到锹甲的树木被孩子们抢着踢，可现在呢？孩子们每天辗转于各种补习班、兴趣班，慢慢地就长大了。

真希望孩子们别急着长大，悠闲地度过童年吧。锯锹形虫完美的大颚就是充实度过童年时代的最有力的证据。

独角仙
——以小制大

相扑界的巅峰就是横纲。要想称为横纲，不仅要实力强，还得有高尚的品格。人类世界里有时会出现品格欠缺的横纲，成为社会问题。但被称为昆虫界横纲的独角仙却十分符合这一称号。

独角仙那威风凛凛的角就是用来争夺食物和配偶的武器。独角仙将长长的角直接插到对方身体下，用力一顶，就能把对方甩出去。那么，它头上的小角又是做什么用的呢？看似一无是处的小角，其实也是个厉害的武器。

独角仙会绕到对方的侧面，用长角将其抬起，再用小角从上往下压。于是两个小角就能把对方死死地压制住。有时，小角甚至能将对方的硬壳刺破，形成一道口子。乍一看还以为是装饰物的小角，实际上可是把尖锐的匕首。

昆虫角的大小与幼虫时期的饮食有关。锯锹形虫的幼虫时期很漫长，发育得越慢，大颚就会长得越壮硕；然而独角仙的寿命只有一年。因此对独角仙来说，只有在有限的幼虫时期内摄取尽可能丰富的营养，角才会更大。

在雄性独角仙之间的斗争中，往往是角越大越有利。双方一边对峙，一边测量着彼此的间距、缓慢靠

近。角长的话就能够提前一步做好攻击的准备。而且比起短角的那只，长角更有利于将对方掀翻。

在强者生存的自然界，长角确实是强者的象征。但也有一些独角仙的角因食物不足而小得可怜。而在弱肉强食、强者生存的世界里，小角独角仙也并非绝对不能生存下来，这正是自然界有意思的地方。

小角雄性独角仙要是跟大角雄性独角仙正面交战是很难获胜的。因此一旦遇到大角雄虫，小角雄虫并不会开战，而是夹起尾巴逃之夭夭。实力相差悬殊的话，便不作无谓的挣扎。相反，小角雄虫会在傍晚早些时分、在大角雄虫到来之前先去进食，运气好的话，还能遇到雌虫。据说，因食物不足注定只能是小角的独角仙幼虫会提前羽化成虫，好在其他雄虫羽化之前先一步享受夏天。正所谓，山中无老虎，猴子称大王。

而且就算遇到了大角雄虫，也不是只有逃跑这一招，小角雄虫秘招不断。就算被强势的雄虫抢去了进食区域，小角雄虫也不会彻底逃离，而是在远处默默观望。随后，在大角雄虫因争夺雌虫而大打出手时悄悄靠近，偷偷与雌虫交配，坐收渔翁之利。另外，小角雄虫还会伪装成雌虫，毫不客气地获取食物，同时也趁机将附近的雌虫占为己有。

大块头并非总是智勇双全，小角雄虫却如此机巧灵敏。不知怎的，我反替大角雄虫感到难过了。

小角独角仙教会我们，光是个头大算不上一种能力，只靠蛮力也算不上是好汉。弱者也有弱者的生存之道。

龙虱
——欲求不满的后果

龙虱，在日本也叫“源五郎”。据说，从前有个叫源五郎的男人得到了一把神奇的锤子，只要挥一下锤子就能掉出钱币，只是代价是身体会缩小一点。因为担心身体变小，源五郎一开始只敢挥出一两枚钱币。但他渐渐被欲望蒙住了眼睛，不停地挥动锤子获取钱币，直到最后将自己变成了一只黑色小虫子的模样。这个小虫子就被称为源五郎。

此外还有一个说法，因为龙虱本就是黑色的，所以被称为“玄黑”，以讹传讹就变成了发音相似的“源五郎”。不管怎么说，源五郎一听就是个人名，用来做昆虫的名字确实有点奇怪。

有人认为龙虱最初是在陆地上生活的甲虫，后来重新回去适应了水中的生活。就像原先在陆地生活的哺乳动物又回到海里，进化为鲸鱼和海豚一样，通过进化实现登陆的龙虱的祖先，也选择重新回到水中生活。水里没有可怕的鸟类，而且食物充足。对龙虱的祖先来说，充满未知的水中生活是魅力十足的新世界。

实际上，龙虱的身体结构也确实适合在水下生活。它的后腿长满长毛，起到脚蹼的作用，使龙虱能自由自在地在水中游来游去。龙虱还能把从尾部吸入

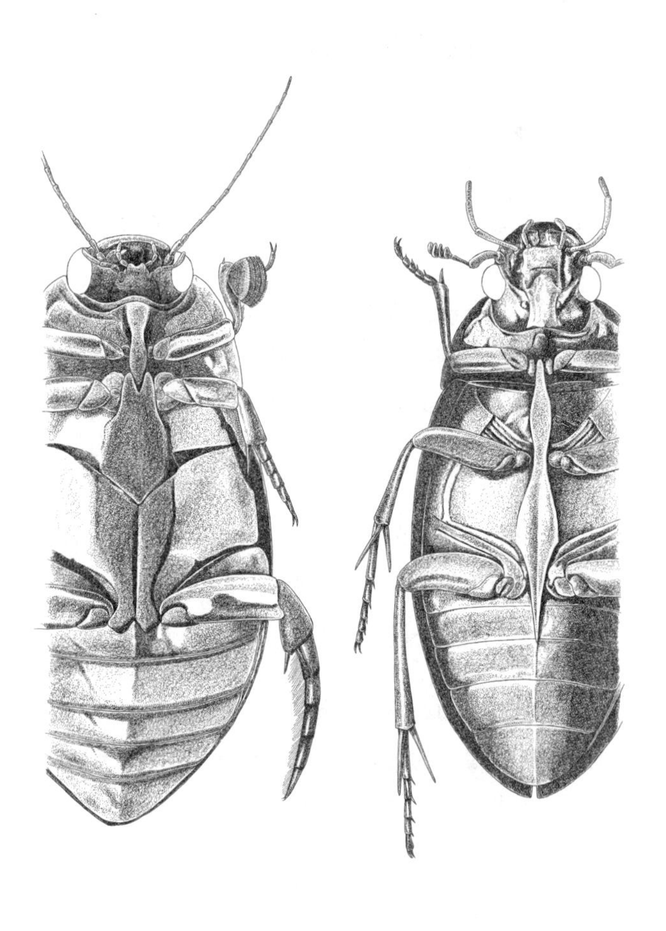

的空气储存在坚硬的翅膀下用于潜水，就像背着氧气瓶一样，因此能进行长时间的潜水。

此外，还有一类跟龙虱一样生活在水中的甲虫，叫作牙甲[13]。龙虱和牙甲很相似，但区别也一目了然。虽然和龙虱长得很像，但牙甲并不能像龙虱那般自如地游泳。龙虱可以用脚蹼一般的后腿轻松自如地划水，但牙甲腿上没有脚蹼状的长毛。与其说它们是在游泳，不如说是在水中拍打脚部，就像在水中缓慢行走一样。不仅如此，如果找不到可以抓住的物体，牙甲还会溺水而亡，很不容易。

龙虱是以蝌蚪等为食的食肉昆虫，为了能捕捉到猎物，不得不灵敏地在水中潜游。反之，牙甲是以水底枯草等为食的食草昆虫。因此，对牙甲来说就没必要游得很快。

之所以叫牙甲，是因为长有“獠牙”。可能这个威猛的名字听上去不太适合这种文静的虫子，但牙甲的胸部下方长有向后生长、长针似的突起物，看上去很像牙齿，因此得名。只是这些长牙究竟有何作用，目前还不清楚。

不同于龙虱将空气储存在翅膀下方，牙甲将浮于水面时吸入的空气储存在腹面。观察牙甲时就会发现，它的腹部看上去是银色的，这是由于空气反射所

13 牙甲科，又名水龟虫科。

致。也许，腹部长牙的作用就是吸取与储存空气吧。

为了寻求新天地而开始在水中生活的龙虱和牙甲，近年来却因为水域不断被填埋、水源被污染而数量减少，渐渐销声匿迹了。人们过分追求便利的生活、不断破坏周围的环境，不禁让人想起了贪婪的源五郎的故事，或许我们有必要重新深思一番了。

豉虫
——忙得团团转

忙得晕头转向的人常被喻为豉虫。确实，豉虫好像总是忙不迭地在水面打转。曾有位日本政府官员发表过如下不当言论："速滑运动就跟豉虫一样，一直在无聊地转圈。"这对速滑运动员和豉虫来说都是种侮辱。

速滑运动当然很有意思，但如果仔细观察豉虫打转，也会觉得相当有趣。豉虫看起来好像没有腿，其实它的腿在水下。豉虫的中足和后足共四只，都跟船桨一样扁平。通过将腿部像螺旋桨一样旋转，豉虫可以实现高速前进，像是装了马达似的；它们还可以通过调节左右足的旋转来改变转向。

豉虫游泳时不需要前肢，前肢可以像机械手臂一样被折叠起来。而一旦发现食物，前肢也会像机械手臂一样向前伸以捕捉食物。豉虫在水面不停打转，等待猎物小虫子落入水中。旋转会引起漩涡，因此豉虫还有个别名叫"涡虫"。豉虫能通过感知旋转产生的水波来锁定猎物的方位。

此外，不停地打转也可以让敌人难以进攻。豉虫一旦受到威胁便会提高旋转的速度，借此干扰敌人的视线，通过快速旋转来保护自己。可见，豉虫的旋转并不是毫无意义的。在水面生活的豉虫有两大天敌，

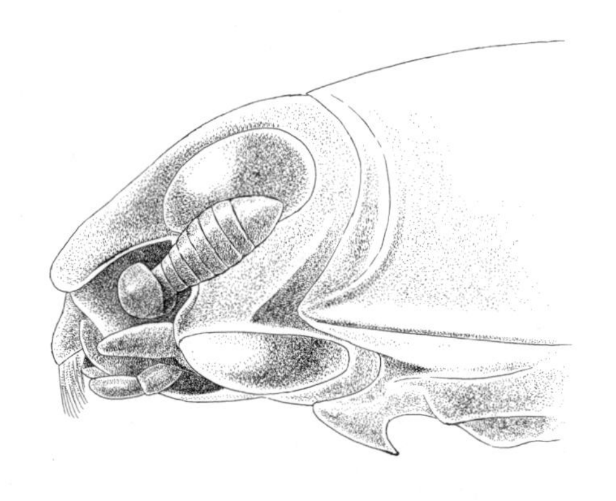

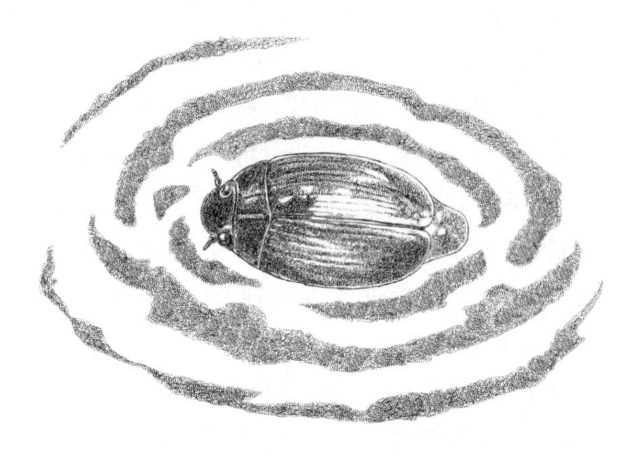

一是从空中袭来的鸟类，二是从水下进攻的鱼类。为避免上下夹击，豉虫有四只眼睛。两只眼睛长在上面，用于观察水面以上的动向；另两只眼睛长在下面，以观察水下的情况。就这样，拥有两对眼睛的豉虫可以同时观察空中和水下的情况。

水质一旦浑浊，豉虫就无法用眼睛捕捉到鱼类的动向，所以它们喜欢在清澈的水中生活。有豉虫的地方一般水质清澈，于是人们以为是豉虫在净化水源，称它们为“净水大师”。

人们常用“鸟瞰”“虫瞻”的比喻来说明从不同视角观察事物的重要性，豉虫却可以一直从不同的视角观察两种景色。这世间的万物总有两面性。人们说：“看似优雅的水鸟，其实在水下拼命地划动双脚。”豉虫既能看见水鸟优雅的姿态，也能看到它在水面下的辛苦付出。能同时看到水上和水下的豉虫，显然比我们人类拥有更广阔的视野来观察事物。

跟水鸟一样，豉虫也在水下拼命地划动着四肢。即便看起来只是在水面滑稽地打转，其实豉虫也是花了很多功夫的。

无霸勾蜓[14]
——霸气凛然的老古董

在古生代布满岩石的不毛之地，蕨类植物在仅有的水边形成了古老的森林。那是鸟类、哺乳类甚至连恐龙都还未出现的时代。但令人惊讶的是，当脊椎动物的祖先鱼类终于在水边登陆、试图进化为两栖动物时，身长70厘米、被称为巨脉蜻蜓的庞然大物就已然盘桓在空了。

昆虫的进化神秘莫测。据说昆虫的祖先是像蜈蚣一样的多足节肢动物，在进化过程中，为了提高功能性，逐渐减少了腿的数量。因为只用三个点就能形成具稳定性的三角形，所以昆虫最终进化为六足，通过前足、中足、后足三个点形成三角形支撑起身体并移动。此外，有人认为昆虫的翅膀可能是为了增加体表面积以便调节体温而进化出来的。还有人认为，在水里游泳时用来呼吸的鳃，到了陆地之后就变成了翅膀。不管怎么说，在还没有鸟类和翼龙的古生代时期，昆虫就已经有了自由翱翔的制空权。

实际上，蜻蜓的直系祖先并不是巨脉蜻蜓，而是无霸勾蜓，又称鬼蜻蜓。人们常将它们和庞大的巨脉蜻蜓混淆。鬼蜻蜓是日本最大的蜻蜓，但肯定没有巨

14　无霸勾蜓，又称巨圆臀大蜓。

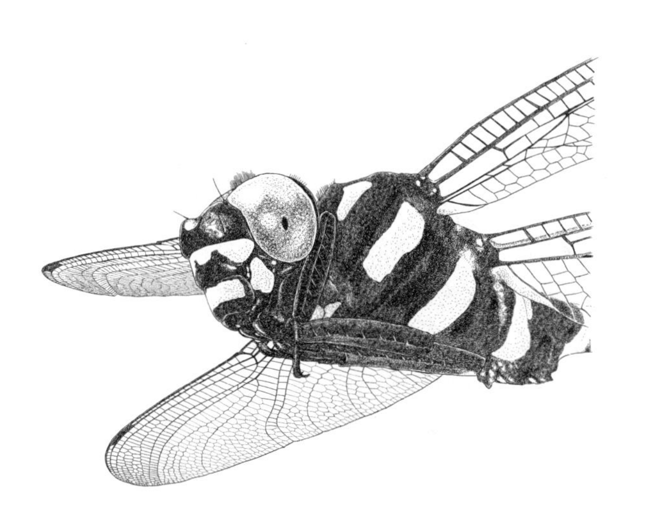

脉蜻蜓那么大。不过，在昆虫小型化的现代，身长超过10厘米的鬼蜻蜓已然很有威慑力了。它们全身呈高贵的黑色，还带有鲜艳的黄色条纹，拥有漂亮的翠绿色眼睛。巨大的身体悠然自得地飞在空中，是热爱昆虫的孩子争相追逐的目标。

因个头大而被称为鬼蜻蜓也挺有道理，但还有另外一种说法：之所以取名为“鬼”蜻蜓，是因为黑黄相间的条纹让人联想到鬼怪身上缠着的腰布。日本传说中，鬼怪腰系黑黄相间的虎皮，因为人们认为鬼来自丑寅方向的“鬼门”。因此鬼即为丑寅，常被刻画为头顶牛角、腰系虎皮的形象。

乍看无霸勾蜓那隆起的胸肌，很难想象这是一只昆虫。蜻蜓不停扇动翅膀，所以胸肌特别发达。一般来说，昆虫的翅膀都连接在外骨骼上，通过活动外骨骼来带动肌肉。这种结构可以通过较少的肌肉活动来增加翅膀振动的次数。然而，无霸勾蜓的四个翅膀都直接与肌肉相连，通过肌肉运动来带动翅膀。仅靠肌肉直接带动翅膀的方式效率不高，多见于原始古老的昆虫，可并非越新的进化方式就越好。直接通过肌肉牵引翅膀，可以使蜻蜓大幅度地挥翅飞行。

就算被称为老古董，无霸勾蜓那霸气凛然的飞行姿势还是很吸引人的。据说它的飞行速度可高达50至100千米每小时，是汽车都得高速行驶才能追赶的速度。此外，四个翅膀还可以分别活动，所以无霸勾蜓能够在空中突然悬停。虽然蜜蜂和蝇也能通过增加翅膀的拍打次数来实现悬停，但是蜻蜓还能实现倒退、急转弯和急停等各种高难度的飞行动作。

老古董也有老古董的优点。无霸勾蜓完美的肌肉线条和它的那份自豪是任谁都抢不走的。

蜉蝣
——短暂却顽强的生命

常言道:“命如蜉蝣。”蜉蝣就是短命的代名词。蜉蝣变为成虫之后一至两天就会死亡，有些种类甚至只能存活几个小时。成虫后，蜉蝣的嘴巴严重退化，不要说进食了，甚至连饮水都做不到。摇曳无力地飘着，就如同梦幻般、稍纵即逝的热浪[15]似的，所以取名为蜉蝣。

蜉蝣成虫后虽然余生短暂，但在幼虫时期却能存活好几年。蜉蝣幼虫栖息在河流中的岩石之下，经常被用作钓鱼的鱼饵。在昆虫界中，从孵化到死亡大都只有短短数月而已，如此说来蜉蝣也算得上是长寿一族了。

蜉蝣历史悠久。现在已知的最古老的昆虫化石里就有蜉蝣。从3亿年前到现在，蜉蝣就没怎么变过样，而且据说蜉蝣是现存最古老的有翅昆虫。虽说蜻蜓也极为古老，但蜉蝣还要更早一些，它俩堪称昆虫界的莱特兄弟。

作为古老的昆虫，蜉蝣需要经历其他昆虫不曾经历的成长过程。一般的昆虫都是从幼虫直接变为成虫，但蜉蝣的幼虫会在蜕皮后先成为亚成虫，这种亚

---

15 日语中，高温下的热浪与热气也被称为“阳炎”，与“蜉蝣”的日文发音近似。

成虫有翅膀、能在空中飞行。接着，蜉蝣需要再次蜕皮才能变为成虫。

在远离河川的地方，比如高楼大厦的窗户上，我们会发现类似蜉蝣蜕皮后留下的外壳，并好奇它们究竟是从哪里来的。其实这就是蜉蝣的亚成虫蜕下的外壳。为何蜉蝣会经历亚成虫的阶段，至今无人知晓。说不定是因为蜉蝣是原始昆虫，而最原始的昆虫就是要经过亚成虫这个阶段吧。

因蛀蚀窗户纸和书籍而臭名昭著的害虫衣鱼[16]就是一种极为古老的昆虫。即使变为成虫，它们还是会反复蜕皮。或许昆虫的祖先在成虫之后会继续蜕皮，但因为蜕皮时容易在毫无防备的状态下遭受敌人的攻击，或因蜕皮失败导致死亡的几率太大，所以做了合理的进化，减少了蜕皮的次数，直接从幼虫变为成虫。

就算这样，如此孱弱的虫子是如何熬过3亿年并存活至今的呢?

秘密就在于命短。如果是不必要的长寿，只会增加被天敌捕食、因意外罹难的风险，大部分是无法寿终正寝的。但是，如果命短的话，便能享尽天年。因此，蜉蝣成虫的寿命都极为短暂。而蜉蝣成虫的使命便是全力留下子嗣。因此，蜉蝣只需专心繁衍后代即

16　衣鱼，也叫书虫。

可，觅食需要的移动、争夺只会降低生存的几率。

尽管如此，摇曳而飞的蜉蝣成虫在面对天敌时既没有逃跑的能力，也没有防身的武器。它们又是如何自卫的呢？蜉蝣采取的策略是集体行动。蜉蝣的幼虫会在某日傍晚同时羽化。之所以是傍晚，就是利用了天敌鸟类较少出现的时间窗。羽化时，蜉蝣幼虫的数量异常庞大，如同漫天纸屑飞舞，让人完全看不清四周，甚至会引起交通瘫痪。为什么蜉蝣会在同一天羽化，它们又是如何决定羽化的日子的呢？其实其中还有很多未知的秘密。

黄昏时分，鸟儿归巢，取而代之的却是出来大肆捕食蜉蝣的蝙蝠。面对如此大餐，蝙蝠喜出望外，发狂般地飞旋盘桓，可无论如何也吃不尽这庞大的蜉蝣大军。于是幸存的蜉蝣完成交配、产下虫卵。

的确，蜉蝣的生命如昙花一现。一旦达到目的、产下虫卵，它们便静静地等待生命的终结。可在风中如同暴风雪般飞舞的它们，一定觉得自己度过了充实的一生吧。

鱼蛉
——守护腐海之虫

吉卜力工作室的电影《风之谷》中，被污染的大地上出现了一个名叫“腐海”的神奇森林。其中有许多守护腐海的大型昆虫，个头比人类还要大。这些昆虫以古生物的形态在空中飞行，有着巨大的脑袋和长着獠牙的嘴巴，还会袭击人类。这可完全不是现实世界的样子。《风之谷》是一部奇幻动画电影，讲述的是幻想出来的未来世界，这些昆虫也自然都是想象出来的怪物。

但在电影画面中扑面而来的怪物虫子，在现实中却真实存在。它就是鱼蛉。

鱼蛉是一种张开翅膀身长能超过10厘米的大型昆虫，其特征就是巨大的脑袋上长有带牙的大颚。因为它长有像蛇一样的脑袋，还会咬人，所以在日语中被称为“蛇蜻蜓”。鱼蛉是名副其实的“水生昆虫界里的王者”，这倒也符合它威风凛凛的样子。

虽然名字叫蜻蜓，但鱼蛉并不属于蜻蜓那类，更接近于蜉蝣一类。和蜉蝣一样，它们都仍保留着古老的化石中的形态。但又和蜉蝣不同，鱼蛉有着自己独特的进化过程，外形也别具一格，非常奇特。

鱼蛉幼虫的样子也很神奇，将鱼蛉的翅膀去掉，就是它幼虫时期的样子。鱼蛉成虫以树液为食，但幼

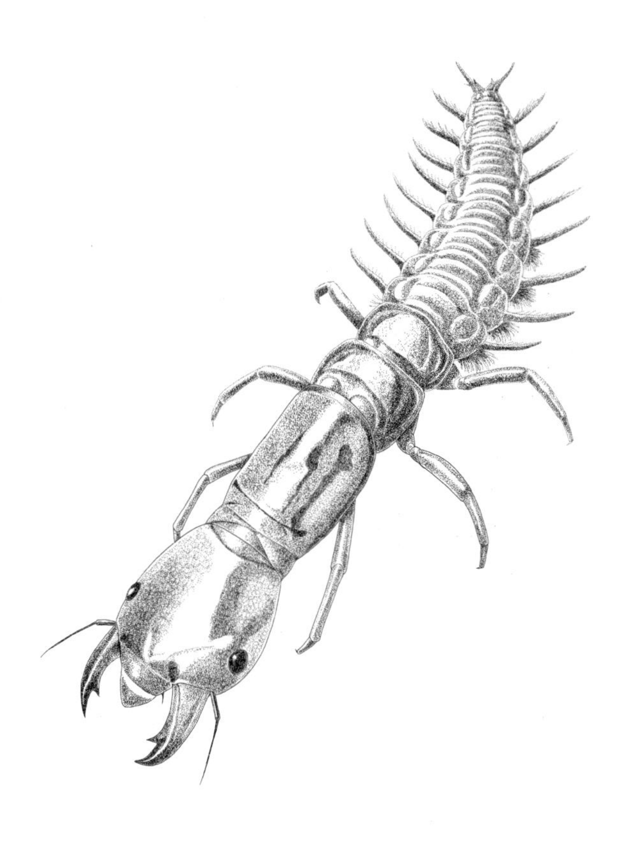

虫以蜉蝣的幼虫为食。像蛇一样会咬人的大颚就是从幼虫时期遗留下来的。就算变成蛹，鱼蛉也会保留大颚。如果不小心碰到鱼蛉的蛹，就会被它咬一口，实在令人啧啧称奇。

鱼蛉幼虫还有一个名字，叫“河蜈蚣”。确实，乍一看，长牙的大脑袋连着长着两排腿的身体，确实很像蜈蚣。可奇怪的是，昆虫不是只有6条腿吗，为什么鱼蛉的幼虫像蜈蚣一样有那么多的腿呢？当然，鱼蛉幼虫也只有6条腿。那些位于腹部、看上去很像腿的东西其实是鳃。可怎么看都像是腿呀？这是因为，昆虫原本就是从像蜈蚣那样的多足节肢动物进化而来的，在进化过程中逐渐减少了腿的数量。可能鱼蛉幼虫将已退化的腿当作鳃来用了吧。

鱼蛉幼虫还被称作“孙太郎虫”。为什么要取一个人名呢？相传，曾经有个住在宫城县齐川村的女人，本想替夫报仇，无奈孩子孙太郎体弱多病，疳癖严重。孙太朗在7岁时得了一场大病，危在旦夕。母亲去神社祈愿时，得到神谕：“去将齐川水里石头间的小虫子抓来给孩子吃。”按照此法，孙太郎渐渐康复了，最后也长大成人，顺利替父亲报了仇。

正如传说中所说，鱼蛉幼虫常被作为治疗小儿疳癖的药物使用。鱼蛉幼虫从平安时代开始就被用以入药，由来已久。可最近，鱼蛉幼虫的数量却在逐渐减少。它们只栖息于干净的水域，栖息地因水源污染不

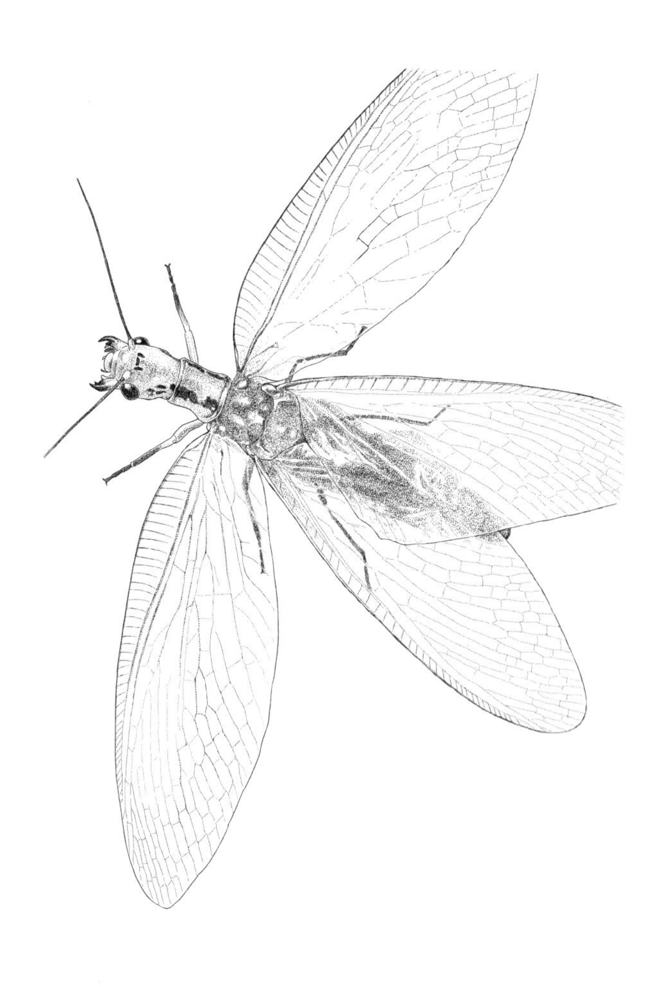

断减少。

《风之谷》中的腐海和虫子是为了净化被文明污染的土地而出现的新的生态系统。在鱼蛉召集腐海的昆虫来袭击人类之前，我们人类是该好好想一想现代文明该如何重返青春了。

白条天牛
——蒙上街头行凶的不白之冤

据说在江户时代，接二连三地发生了女子的束发在不知不觉间被剪掉的诡异事件。在那个年代，女性的头发比命还重要。也不知是从何而起，坊间开始有了传言，说是一种名为“切发虫”的小虫子捣的鬼。拥有能切断头发的尖锐下颚的虫子便蒙冤被冠以“切发虫”的名号，而这就是“天牛”名字的由来。因此，天牛正确的写法不是“切纸虫”“咬切虫”，而是“切发虫”[17]。

当然，天牛不会故意剪去人的头发，它那尖锐的下颚是用来咬碎树皮填饱肚子的。虽说如此，可天牛会伤害人类种植的树木，使其枯萎，因此也大都被认定为害虫。

天牛用坚硬的下颚划破树皮，咬痕处便流出汁液，而这里也成了各类昆虫前来吸食树汁的聚餐地。孩子们最爱的独角仙和锹甲也以树汁为食，可是不论它们怎么使劲，也没法伤害树木分毫。对于在灌木丛里生存的昆虫，天牛是不可或缺的存在。天牛的触角特别长，看上去就像牛角。因为帅气的长长触角，天牛也深得孩子们的喜爱。

---

17 在日语中，天牛的发音与“切发虫”相同，而切纸、咬切和切发的发音也是一样的。

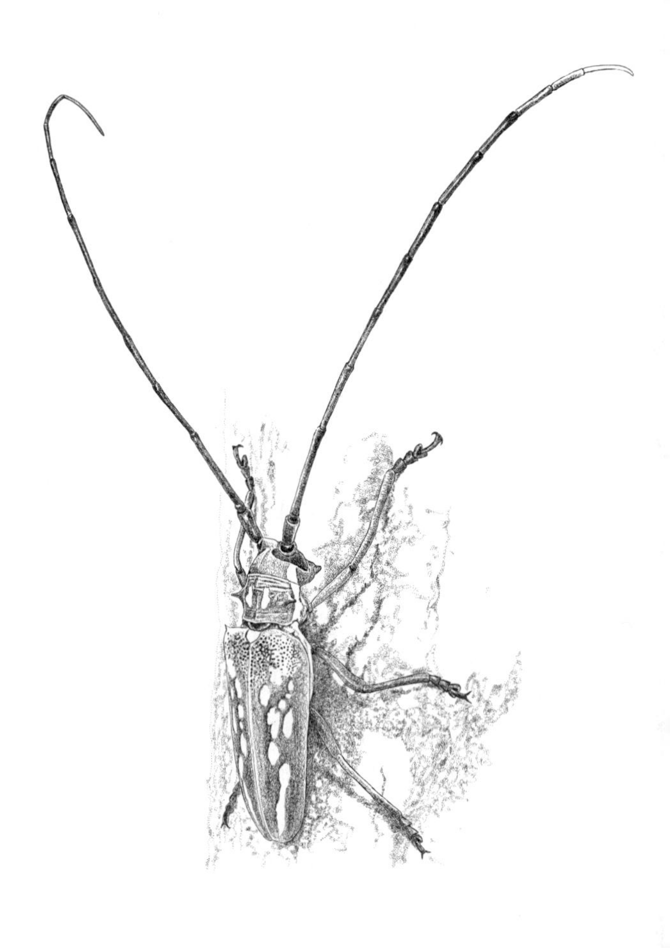

尽管拥有威武的触须和坚硬的牙齿，可天牛被抓住后，会摩擦胸部发出吱吱的声音。这种声音纤细可爱、楚楚可怜，就像在拼命求饶似的。不过，这其实是用来震慑敌人、发出威胁的声音。

天牛啃食树干并在其中产卵。孵化出来的幼虫也有尖锐的牙齿，边吃边挖，所以也是侵食树木的害虫。天牛的幼虫宛如镶嵌在树洞中的子弹头一般，因此也被称为子弹虫。潜藏在树干中的子弹虫既不会遭到鸟类的袭击，也不受农药威胁，就像躲在固若金汤的围城之内。鸟类看不见树里的情况，且不说知道猎物在树里的确切位置，甚至连它们在不在里面也无从知晓。

然而，万不可小瞧了自然界，即便是在这铜墙铁壁之内的子弹虫也有克星。白条天牛是日本最大的天牛，而马尾蜂就专门对付它们。正如其名，马尾蜂有着像马尾一般又细又长的尾巴。它身长仅有2厘米，尾巴却有15厘米。这个长尾巴，其实是马尾蜂的产卵管。

像马尾蜂这种将自己的卵产在其他昆虫身上的寄生蜂一般都拥有长长的触角。它们通过触角嗅出天牛幼虫散发出的微弱气息，找到潜藏着天牛幼虫的树木，进而倾听它们在树洞中发出的声响，从而锁定猎物的位置。之后，马尾蜂将长长的产卵管插进天牛幼虫所在的洞穴，在幼虫身上产下虫卵。于是乎，天牛

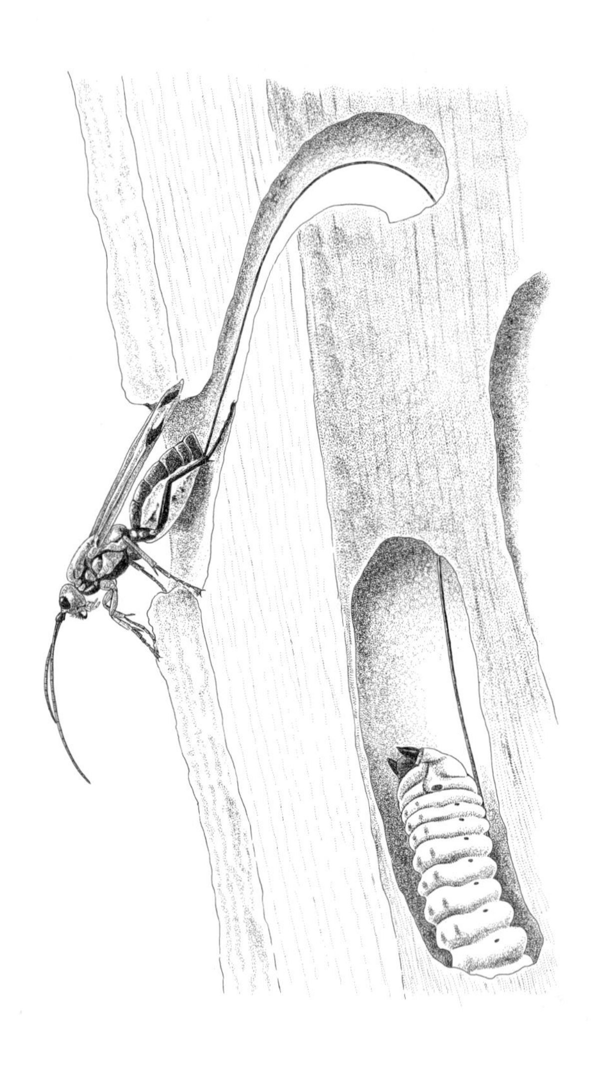

幼虫的围城计反倒弄巧成拙，使自己无处可逃。可怜的天牛幼虫最后只能沦为马尾蜂幼虫的腹中餐。

自然界中没有绝对安全的地方，万物皆在残酷的天地中求生，生命的坚忍不屈实在令人折服。

彩虹吉丁虫
——跨越时代的辉煌

日本政界的讲话中常常出现“玉虫色”[18]一词。根据观察角度的不同，吉丁虫的翅膀会呈现出不同的色彩，而且不管从哪个角度看都美不胜收。在政治的世界中，这种从不同角度看待事物的能力的确很重要吧。

为什么从不同的角度看吉丁虫的翅膀都是不一样的颜色呢？其实吉丁虫的翅膀是无色透明的。色素吸收特定波长的可见光，比如植物色素会吸收除绿光外的所有波长的光，而只反射绿光，因此人们看到的就是绿色的叶子。同理，物体因只反射红色的可见光而看上去是红色，因只反射蓝色的可见光而呈蓝色。

吉丁虫的翅膀有着极其微小的纳米结构，令光线朝着不同的方向反射或衍射。因此，由于视角的不同，不同波长的光被反射，叠加起来就使吉丁虫呈现出五彩斑斓的外表。

吉丁虫之所以有这样神奇的结构色，也是事出有因。我们经常看到人们挂起废弃的CD来作为驱鸟用的反光片，这是因为鸟类害怕闪闪发亮的金属色。和吉丁虫的翅膀类似，CD的背面有无数细小的凹槽，

18　在日语中，吉丁虫被称为“玉虫”。

使得光线交错反射，形成绚丽而复杂的光辉。

吉丁虫也凭借它那闪闪发亮的翅膀来躲避鸟类，以此防身。金龟子一类的昆虫也多为发亮的宝石色或者金属色，拥有和吉丁虫一样的翅膀构造，以此避敌。此外，金龟子发亮的外壳还能反射四周的环境，将自身与环境融为一体，起到保护色的作用。

古人既不知CD也不知纳米，只是深深地被吉丁虫如宝石般的华美之色吸引。日语中称吉丁虫为“玉虫”，玉即宝玉。漂亮的吉丁虫又被称为“吉兆虫”。传说将吉丁虫放进衣橱，衣服就会变多，家里也会衣食无忧。于是人们常常会在陪嫁的柜子里悄悄放进一只吉丁虫。

其中最著名的当数玉虫厨子[19]了吧。在飞鸟时代制作的玉虫厨子上贴了4500只吉丁虫的翅膀。现如今，翅膀差不多都掉光了，但仔细看的话，还是能看到仅存的那一点翅膀闪耀着光芒，残留着当年的印记。

无论何物，只要有颜色，都会随着时光的流逝逐渐褪色。可吉丁虫的翅膀本就无色，只是利用了细微的构造反射光线。因此，不论时光如何流逝，吉丁虫的翅膀都不会褪色，无论何时都熠熠生辉。就算历经了1400多年，吉丁虫的翅膀也没有失去当年的色彩。

19　玉虫厨子，现藏于日本奈良法隆寺的佛龛，为日本国宝。

虽然“玉虫色”因人而异，但一想到我们与古人看到的是同一只吉丁虫的光辉，当真有种妙不可言的感受吧。

虎甲虫
——带路的缘由

说到日本人，好像都不太擅长英语。但不管什么歌，只要是英文唱的，就算不知道意思，人们也觉得很酷；即使只是一张旧报纸，只要是英文的，就觉得很时尚；谁能飙一点英文，就会被莫名其妙地高看一等；明明不太会说英语，却偏偏喜欢用不知所云的片假名来表述。比如“法令法规”就喜欢说成“コンプライアンス”，“约定”就说成“アポイントメント”[20]。

有时候，英文的表达的确会显得更帅气一些。欧美人常常在日常生活中说一些像电影台词一样的话，比如“为你感到骄傲”呀，“祝愿你梦想成真”之类的。不知道为什么，用英文来说昆虫的名字也会显得帅气很多。像蜻蜓，英语就是dragonfly（龙之昆虫），萤火虫叫firefly（火之昆虫）。独角仙的话，从角和甲壳来看，像是犀牛般的甲虫，所以被称为“rhinoceros beetle”，显出一种英雄坐骑般的气势。常在水田和菜地看到的一种蜘蛛因为总是守着孩子，所以日文名字叫子守蛛；而在英语中叫狼蛛，因像狼一般狩猎而得名。

20　在日语中，片假名常常是对外来词的音译。这两个片假名分别是对“compliance”和“appointment”的音译。

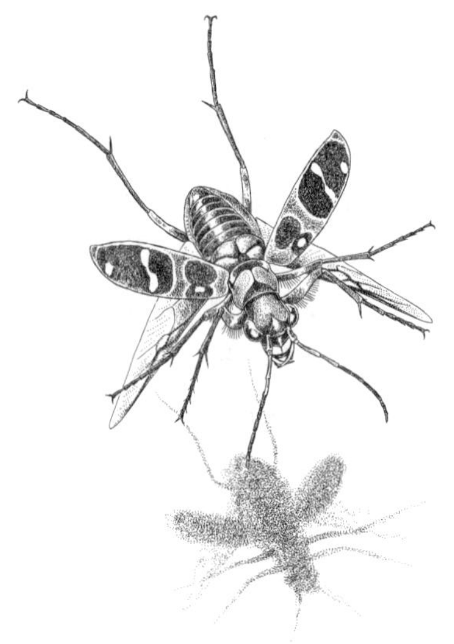

在这里我要介绍的昆虫叫“tiger beetle”。它用又大又锋利的牙齿捕捉猎物，因此得名。确实，那样的大牙很容易让人联想到冰河时期的剑齿虎。但是，tiger beetle的日语名叫“斑猫”，意为带斑点的猫。也挺类似吧，只是从老虎变成了猫。

Tiger beetle就是虎甲虫。它还有个别名，叫“引路虫”。当人们靠近时，虎甲虫便会张开翅膀跳起来，落在人面前。人往前一步，虎甲虫便朝着同一方向跳跃一步，就像是在带路一般。

虎甲虫栖息在明亮广阔的地方，因此不会往两边的草丛里钻，遇到危险只会逃向前方开阔的道路。所以当人们靠近时，虎甲虫便只能往前方逃跑。明明是被人类追赶，却被误以为是在带路。

虎甲虫呈现出蓝色、绿色、红色和紫色混合的鲜艳色彩。和刚刚介绍的吉丁虫一样，虎甲虫之所以艳丽无比，也是想通过光泽来躲避鸟类的攻击。

但虎甲虫也因为太过艳丽而常被认为身怀剧毒，尽管并没有毒性。实际上，有毒的是另一种叫芫菁的昆虫。芫菁的毒素不仅可以入药，还曾被用作毒药。但由于虎甲虫的颜色更艳丽，看上去比芫菁更像是带毒的昆虫，所以即便没有毒性，在日本也一直被视作毒虫。

因为这个误会，很多虎甲虫被灭杀。但如果遇见它，其实是免遭毒害、逃过一劫呢。

负子蝽
——最强奶爸

以前带娃被视作妈妈的工作，如今爸爸也开始参与到育儿队伍之中。如果到现在还认为育儿只是妈妈的事，就太落伍了。今天，带娃的爸爸被称为“奶爸”。

昆虫界也有不少担起育儿职责的雄虫，只可惜，绝大多数还是靠雌虫来照顾孩子。之后将介绍的蠼螋就是由雌虫负责守护虫卵；前面提到的子守蛛也是妈妈守护孩子，一直背起虫卵活动，即使在幼虫孵化之后也是如此。而对负子蝽来说，则是爸爸肩负起了育儿的重担。

之所以被称为负子蝽，是因为雌性负子蝽在交配之后便会在雄虫背上产卵，然后消失得无影无踪。于是，在幼虫孵化之前，雄虫会一直背着虫卵游泳。因为背负着卵，雄性负子蝽不能灵活地游于水中，甚至会面临进食的困难。

桂花负蝽是负子蝽的同类，同样也是由雄虫来守护虫卵。雌性桂花负蝽会将卵产在草茎上，雄虫就得不吃不喝、寸步不离地守在那里。为了防止虫卵干燥，还得不定时地洒水，相当忙碌。

此外，寻觅配偶的雌性桂花负蝽在看到守着虫卵的雄虫后，会试图将雄虫占为己有，破坏由雄虫守护

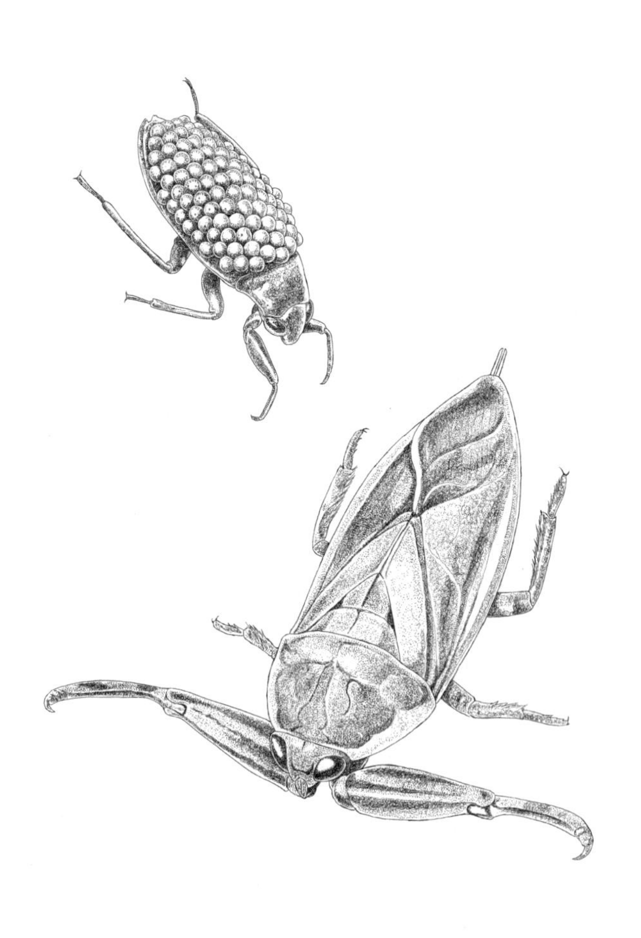

的虫卵。雄性桂花负蝽肩负着在有生之年传宗接代的使命，虽然还可怜巴巴地沉浸在失去孩子的悲痛之中，但又不得不马上与破坏虫卵的犯人再结连理，然后继续守着新一任妻子产下的虫卵。当然，这些卵有可能再次被别的雌虫破坏。被多个异性同时看上的话，雄虫就太遭罪了。雄性桂花负蝽的育儿之路真是坎坷又令人钦佩啊。

与之相比，只是背着虫卵的负子蝽便显得轻松多了。虽然游泳不太方便，但也不是完全无法进食，也不用担心虫卵干燥。背着卵的负子蝽还会跟别的雌虫交配，背着不同雌虫虫卵的负子蝽并不少见。负子蝽似乎没有做出太大牺牲，还同时享受着育儿的快乐和自己的生活。

不同昆虫的育儿方式各不相同。但无论如何，有育儿能力就是有实力的证明。就算父母守着虫卵，但如果父母被吃掉的话，虫卵就会全军覆没。虫子本就是弱小的存在，很容易成为鸟类和鱼类的猎物。因此很多昆虫并不负责抚养孩子，而是产下很多的卵，只希望其中有一部分能够存活下来。总之，就算有心想育儿，也无力做到。对这些无法保护孩子的弱小生命来说，大量产卵是留下子嗣的最好方式。

因此，有育儿能力的多是天敌较少的昆虫。像蜘蛛、蝎子、蠼螋等有能力守护虫卵的都是比较厉害的昆虫。在昆虫之外，在体内孵化并在其中保护幼崽的卵胎生动物，比如鲨鱼和蟒蛇，也多为没有天敌的厉害角色。处于强势地位的鸟类和哺乳动物往往也会选择保护好幼崽，实实在在地传宗接代。

水中的大多数昆虫都是青蛙和鱼类的捕食对象，负子蝽和桂花负蝽则是食肉昆虫，甚至还会吃青蛙和鱼类。总而言之，它们的天敌并不多。

看到一个大男人给婴儿喂奶、换尿不湿，或许有人会觉得这是软弱的表现，实则不然。能照顾孩子，才是对自己有能力守护他人的最好证明。

蝼蛄
——蝼蛄也还活着

在日本，输得一干二净的赌徒被称为“蝼蛄”。在土里挖洞度日的蝼蛄拥有铲子一般的巨大前脚。如果伸手去抓蝼蛄，它便会往土里钻，把前脚张得老大。这姿势就跟举手投降似的，因此人们会在自己输掉时说“变成蝼蛄喽”。

蝼蛄这个名字取自“虫蝼”。实在是过分，因为日文中的“蝼”是对昆虫的统称，用它来做名字的话自然就是不受重视的虫子，而蝼蛄就是其中的代表。“虫蝼”的“蝼”连着个接尾词“蛄”就成了“蝼蛄”。

现代日本童谣《手掌心中的太阳》里，有句歌词就是“就连蚯蚓、蝼蛄大人，还有水黾也是如此，我们大家都生活着，都是好朋友”。这么唱似乎对这些虫子很友善，但仔细想想“就连”一词，就会发现蝼蛄仍被视作生物圈最底层的存在。

或许是蝼蛄一直生活在地底下的缘故吧，所以才被人看不起。但深藏于地下的蝼蛄有这样做的重要原因，那就是避敌自保。只要在土里，就能躲开鸟类的攻击和青蛙的觊觎，潜藏于地下是非常出色的战略方法。自古以来，许多优秀的战略家不就是通过挖掘地道深入敌营，或者以此巧妙脱身的吗？

当然，在土中挖洞潜伏也并非易事。科幻电影和机器人动画片中常会出现一种带有钻头、深入地下的交通工具。但实际上，就算挖出跟钻头同样大小的洞穴，机身也无法通过这个洞口、在地下行进。要想在地下前进，就必须把挖出来的土扔到后面。

蝼蛄的前脚就像是带有锯齿的大铲子，将挖出来的土送到身后。前脚还带有能够切断草根的刀刃一般的尖刺，用于扫平一切阻碍。另外，蝼蛄的头虽然很大，但体形纤细，便于钻行。蝼蛄身体的前半部分如铠甲般坚硬，适于钻进洞中；而下半身柔软，可以顺利滑入挖好的洞穴。下半身还带有软毛，可以防止沾上泥土，以便顺利地在洞穴中前行。正因下了许多功夫，蝼蛄才可以在地底下穿梭自如。

更神奇的是，蝼蛄的外形和鼹鼠特别像。昆虫界的蝼蛄和哺乳类的鼹鼠经历了完全不同的进化过程，但为了适应地底下的生活，最终都进化成了非常相似的形态。即使种类不同，但最终进化成相似的形态，这种现象被称为“趋同进化”。

蝼蛄的英文名是mole cricket，直译过来就是“鼹鼠蟋蟀”。其实蝼蛄是蟋蟀的亲戚，能发出和蟋蟀一样的声音。从春天到秋天，蝼蛄都会在夜晚从地下发出“吱——”一般的鸣叫，在洞内回荡，音色特别神奇。古人以为从地底下传来的声音是蚯蚓的叫声。即使到了现代，“蚯蚓鸣”仍常被作为秋天的季语。

不过，蚯蚓当然是不会叫的。

蝼蛄不仅有可以发出声音的前翅，还有一对长长的后翅可以用来飞翔。此外，它还会游泳。蝼蛄身上的毛防水，前脚可以用来划水，且游得很快。简直就是水陆空都能驾驭的全能型选手。

尽管如此多才多艺，但古人还是觉得蝼蛄通而不精。多才多艺但没有绝活的艺人被称为“蝼蛄艺人”，被人瞧不起。可转念一想，虽然歌词里说的是“就连蝼蛄大人”，但在名字之后加上“大人”这样隆重的称呼，也算是其他昆虫都未曾有过的待遇。看似不受重视，其实蝼蛄大人也是一种人见人爱的昆虫呢。

蚕
——离开人便活不下去

上一节提到，被尊称为“大人”的虫子恐怕只有“蝼蛄大人”了。而对有种昆虫来说，人们称呼它时不仅加上了“大人”，甚至还加上了“尊敬的”。

那就是蚕。在日本，蚕被称为“尊敬的蚕大人”，自古以来就被视为神圣之物。虽然人们有时会将动物称为“先生”，比如“马先生”“猴先生”等说法，但在动物界，被称作“大人”的恐怕就只有幕府第五代将军德川纲吉颁布的《生类怜悯令》[21]中的“尊敬的狗大人”一例了吧。

光滑亮丽的丝绸是由蚕丝织成的。为了让蚕吐丝，人类便开始饲养这种昆虫。

蚕由野蚕蛾改良而来，至少在5000年前，中国就开始饲养蚕宝宝，养蚕的历史十分悠久。虽然养蚕业在中国十分盛行，但在当时的古罗马和波斯等地，对这种光滑美丽的丝绸究竟由何种材料所制、如何制作，都一无所知。棉麻等纤维一般都是从植物中提取出来的，从虫子身上获取纤维的方式的确很难想到。于是，古罗马和波斯只能从中国进口丝绸，也因此有

21 《生类怜悯令》，日本于17世纪末至18世纪初为改善社会风气及教化民心颁布的一系列法令，主张对老弱病残等社会弱势群体给予帮助，并倡导人与自然、人与动物的和谐相处。

了西运丝绸的道路——“丝绸之路”。

养蚕工艺和水稻种植技术一同传入了日本。《日本书纪》记载了这样一则故事：在日本月神月读尊拜访农业女神保食神时，保食神用口中吐出的食物加以招待。见到此情此景，月读尊立即吐出了口中的食物，并将保食神斩杀。随后，保食神的尸体化为桑蚕、稻米、杂粮、豆类，农业就此开始。虽然保食神从嘴里吐出东西好像很恶心，但是从桑蚕口中吐出的丝绸却大受欢迎。

有着5000年历史的养蚕业是与水稻种植齐名的智慧与技术的结晶。首先，需要提供适宜的温度使虫卵孵化，再将刚出生的幼虫用羽毛掸轻轻移到被称为“蚕座”的饲育箱中。接着，需要将切碎的鲜嫩桑叶喂给出生不久的幼虫。没过多久，蚕宝宝便一动不动，进入“休眠”状态。之后，它们会开始蜕皮，变大一圈之后才又开始吃桑叶。经过多次“休眠”和蜕皮的循环，蚕宝宝慢慢长大，桑叶的食用量也越来越大。蚕宝宝一起吃桑叶的声音就像是哗啦啦的雨声。这时农家便进入了忙碌期，为了让蚕宝宝吃到新鲜的桑叶，人们需要不停去桑田采回新鲜的桑叶。

蚕宝宝也太难伺候了。习惯了被饲养的蚕宝宝是无法在自然界独自生存的。如果不给出生不久的幼虫喂食切好的桑叶，它便无法进食；就算长大，也抓不住枝头。蚕宝宝也不像其他毛毛虫一样能来回活动，

只会不停地吃着眼前的树叶。如果不放入名为“蚕蔟”的格子状模具中，它甚至无法结好茧。如果不从头到尾伺候好了，蚕可真是活不下去。就算破茧成蛾，也只能拼命拍打翅膀，无法飞行。被驯化后，蚕离开了人便无法生存。

从明治时期开始，生丝也成为日本重要的出口品，养蚕业在日本各地风靡一时。只是现在蚕丝常被化学纤维取代，养蚕的农户越来越少。尽管如此，养蚕业也给日本带来了巨大的影响。比如用于制绢的自动机械技术就被引入汽车制造业，成为日本汽车产业等工业发展的基础。不仅如此，通过对桑蚕进行基因重组，人们培育出了能生产有效药物成分的桑蚕幼虫，以及运用触角感知微量化学物质、探测毒品的成虫等。

蚕到底要为人类做多少贡献啊。与人类共存了5000年，至今仍在为人类创造新的未来。

屁步甲
——最厉害的撅屁股腰[22]

有种昆虫叫“放屁虫”。田埂上常常可以看到一种叫屁步甲的甲虫，遇到危险时，它的屁股会发出砰的一声巨响并喷出气体，就像放屁一样，所以被称作“放屁虫”。日本还有个词叫“撅屁股腰”，指弓着腰、屁股向后撅，看起来就像要放屁的样子。

当然，屁步甲并不是真的想放屁。虽然也可以说是“放屁”，但是屁步甲喷出的气体是用于防身的最强武器。众所周知，臭鼬在遭遇敌袭时，会喷出臭气熏天的分泌液用来防身，而屁步甲喷出的气体也是恶臭难闻。而且，屁步甲喷出气体的温度可高达100摄氏度，其威力之猛甚至可以烫伤鸟类和青蛙。

可是这么一只小小的虫子是如何在体内存储如此危险的气体的呢？对屁步甲来说，在体内直接存储这些气体也是极度危险的。于是，屁步甲的体内器官分别生成对苯二酚和过氧化氢这两种物质。这两种物质各自都不是什么危险成分，对苯二酚溶液是一种用于蜕皮后使外皮变硬的物质，过氧化氢是细胞进行防御反应时产生的物质。

当危机来临时，屁步甲会在体内将这两种物质混

22 撅屁股腰，日语里的说法，类似“点头哈腰”。指某人出于唯唯诺诺或羞怯等缘故而弯腰、撅屁股的样子。

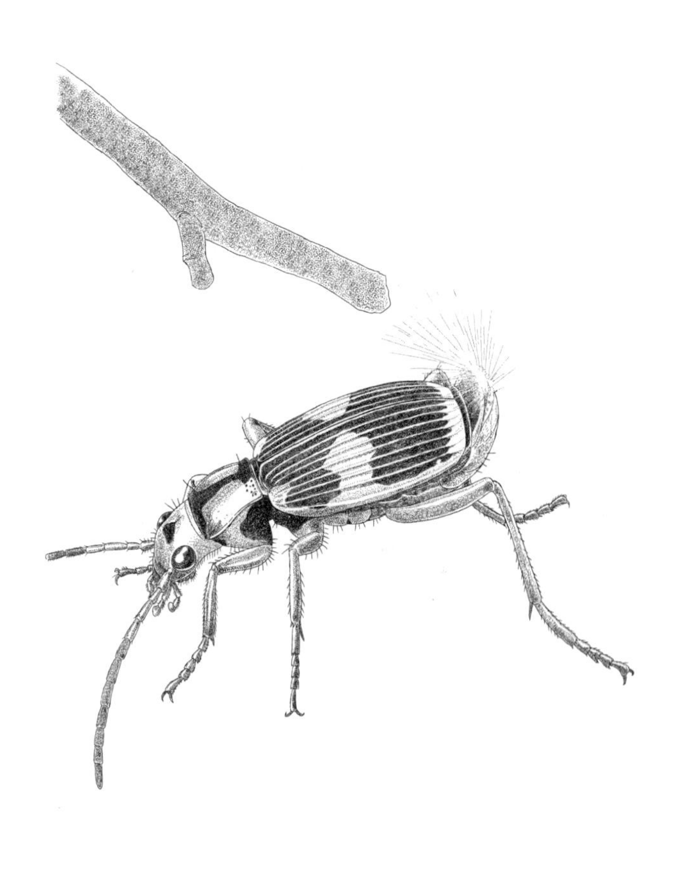

合，在酶的催化作用下，引起剧烈的化学反应，产生一种叫苯醌的高温气体。接着，屁步甲便会对着敌人喷射这种高温气体。喷射口并非屁股，所以这种气体绝不能算作屁。而且喷射的方式也与放屁不同，屁步甲不仅能改变喷射口的方向以瞄准敌人发射，甚至能连续发射，可以说是正儿八经的武器了。

令人惊讶的是，这种将两种物质混合后产生化学反应，再喷射出高温气体的机制，和火箭引擎的机制是一样的。屁步甲是怎么想到这种方法，又是怎么知道该如何产生这种化学反应的呢？简直匪夷所思。

屁步甲也被称为“三井寺步甲”。为什么是三井寺呢？据说是因为三井寺还存有有关“放屁大战”的鸟羽绘[23]，因此就在屁步甲的名字前加上了“三井寺”这个地名。有了“三井寺”这么一个高大上的名字，结果还是因为“屁”这回事儿，也太悲催了。

---

23 鸟羽绘，江户时期浮世绘的一种，被视作日本漫画和讽刺画的前身。

家蚊
——命悬一线的任务

任务如下：突破重重设防的关卡，入侵敌营核心，抢夺埋藏在庞大的敌人体内的目标物。当然，还得再次突破防御网，平安归来。如果让能够完成如此艰巨任务的英雄来做电影主人公，绝对不亚于好莱坞大片。另外，更准确地说，电影的主角是女性。而这位女侠就是吸食我们血液的蚊子。

在我们周围，最常见的蚊子是棕色的尖音库蚊和黑白相间的花斑蚊。花斑蚊多潜伏在庭院的灌木丛中，因此在日本又叫“薮蚊”[24]。尖音库蚊也叫家蚊，在日语中又被称为“赤家蚊”。正如其名，家蚊一到黄昏便义无反顾地冲进屋里。尽管家蚊很烦人，但让我们试着体验一把它们的视角吧。

首先，家蚊必须通过严丝合缝的纱窗才能进入屋内。即便成功入侵，还有蚊香和杀虫剂等重重陷阱严阵以待。对小小的蚊虫来说，那可是要命的毒气啊。然而，顺利进屋之后，难题才刚刚开始。家蚊需要根据人的体温和呼吸找到人类目标物，进而接近危险的人类，并在对方毫无察觉的情况下获取血液。

要从人类的血管吸到血也并不容易。首先得悄无

24　薮，意为灌木丛。

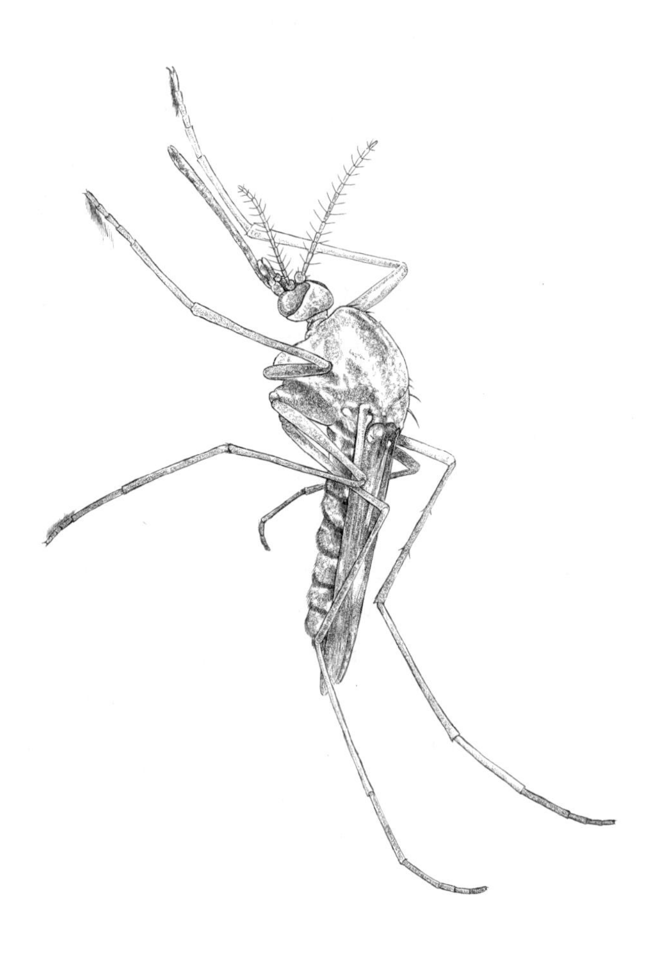

声息地用针刺透皮肤，再往毛细血管里注入唾液，唾液中含有麻痹疼痛和防止血液凝固的成分，之后才能开始享受毛细血管中的血液大餐。加上吸血的过程，再快也得花上两三分钟。如果在此期间被人察觉，就会飞来一击巴掌。如果真吃了这一掌，任务就失败了。真是紧张到手心冒汗。对蚊子来说，应该觉得每分钟都很漫长吧。

然而真正的危机还在后面。顺利完成任务后，还得安全撤离。进来的时候，或许只是碰巧找到了纱窗的缝隙，要再次在密闭的房间里找到出口绝非易事。而且，家蚊原本只有2至3毫克的体重，吸完血后就会变成5至7毫克。带着这么重的血液晃晃悠悠地飞，还要躲避人类的追杀、实现安全撤离，简直比登天还难。这么一想，居然对千里迢迢来到自己身边的蚊子莫名心生了爱怜之意。

雌蚊挑战如此艰难的任务也是事出有因。蚊子平时靠吸食花蜜和植物的汁液为生，但为了产卵，雌蚊不得不从动物或人类的血液中摄取蛋白质。令人讨厌的“吸血鬼”其实也只是个为了孩子而奋不顾身的母亲。

那么雄蚊又在干什么呢？在屋外，无数雄蚊飞聚在一起，形成电线杆似的“蚊柱”。聚在一起的雄蚊振动翅膀发出声音，吸引雌蚊。闻声而至的雌蚊便在蚊柱中挑选伴侣、进行交配。交配后的雌蚊便抱着视死如归的决心往人类家里飞去。

目送雌蚊的雄蚊就只是聚在一起，嗡嗡地飞成一根电线杆而已。我觉得比起那些勇往直前的雌蚊，雄蚊真像窝囊废呀。

负蝗
——男人这家伙

一只大蝗虫背上坐着一只小蝗虫，这就是负蝗。因为看上去就像是一只蝗虫在背着另一只，因此取名“负蝗”。被背着的那只蝗虫个头比较小，可能会让人觉得是只蝗虫宝宝，其实这是只成年蝗虫。这两只蝗虫一雄一雌，是一对恋人。那么下面的大蝗虫和上面的小蝗虫，哪只是雄虫，哪只是雌虫呢？

要说人类的话，一般会觉得男性比较高大，女性比较娇小，但是负蝗却相反。个大的那个是雌虫，被背着的小蝗虫是雄虫。雄虫紧紧拽住雌虫的样子，不禁令人想到近来唯唯诺诺的食草男。只不过负蝗是蝗虫，无论雌雄都是食草系。

那为什么雌性负蝗的个头会比较大呢？在昆虫里，虽然也有像独角仙那种雄虫的个头比雌虫大的昆虫，但大多数情况下雌虫的个头会比较大。对于负蝗这种食草性昆虫，其实体形越小越有利。体形小就不容易被敌人发现，而且食量还小。但如果雌虫也是小个头的话，就没法产大量的卵。因此，为了留下尽可能多的后代，雌虫就算豁出性命也得让自己变得更大一点。相反，雄性独角仙块头大是为了能更好地保护雌虫。

其他的蝗虫也和负蝗一样，都是雌虫体形比较

大。交配时，雄虫便会跳到雌虫背上。然而对负蝗一族来说，雄性负蝗会在正式交配前一个月就坐在雌虫背上，开始为之做一系列的准备工作。

负蝗后腿短，跳跃力弱，无法远距离移动。因此，雄性负蝗与雌虫相遇的机会很少，一旦遇到雌虫便会立马紧贴上去，等待可以交配的时刻。想想也挺可怜的，当雌虫进食时，趴在背上的雄虫却什么也吃不了，只为等待可以成功交配的瞬间。雄性负蝗对传宗接代的执念实在太深了。

一般来说，其他的蝗虫在交配结束之后就会自行离去，可雄性负蝗在结束交配后还是会继续待在雌虫背上。据推测这是因为雄性负蝗怕好不容易得到的媳妇被横刀夺爱。当然，代价就是继续饿肚子。

雄性负蝗真是一种有些可怜的生物呀。

中华剑角蝗
——谦卑的先祖之魂

在日本，中华剑角蝗也被称为“精灵蝗虫”，“精灵”指祖先的灵魂。日本人认为，在盂兰盆节期间，先祖的灵魂会回到后代身边。与此同时，中华剑角蝗也突然出现。因此人们认为中华剑角蝗是由祖先之灵幻化出来的，便称之为“精灵蝗虫”。也有人认为，它是因为长得很像盂兰盆节时在河里漂浮着的盆船才有了这个名字。

坐在田间地头休息时，经常能看到那些喜欢出没在修剪过的草丛里的精灵蝗虫。此外，在墓地等草丛不多的地方也能看到它们。而且，作为日本最大的蝗虫，精灵蝗虫体形很大，特别显眼，可也因为腿太长而行动迟缓。虽说是蝗虫，在逃命时却不会飞，只会笨拙地来回走动。抓住后就算放它走，中华剑角蝗也不会落荒而逃，而是徘徊在附近，一直盯着人看。或许正因如此，人们才疑心它会不会是探望自己的先祖之魂。

如果先祖之魂真幻化成了精灵蝗虫，按理说应当加以善待才对。可正因为动作迟钝，就连小孩也能轻易抓住，中华剑角蝗便成了孩子们最喜爱的玩具。

如果被抓住后腿，中华剑角蝗就会蹬腿试图逃跑，但腿被固定住了，身体就会像个弹簧玩具似的上

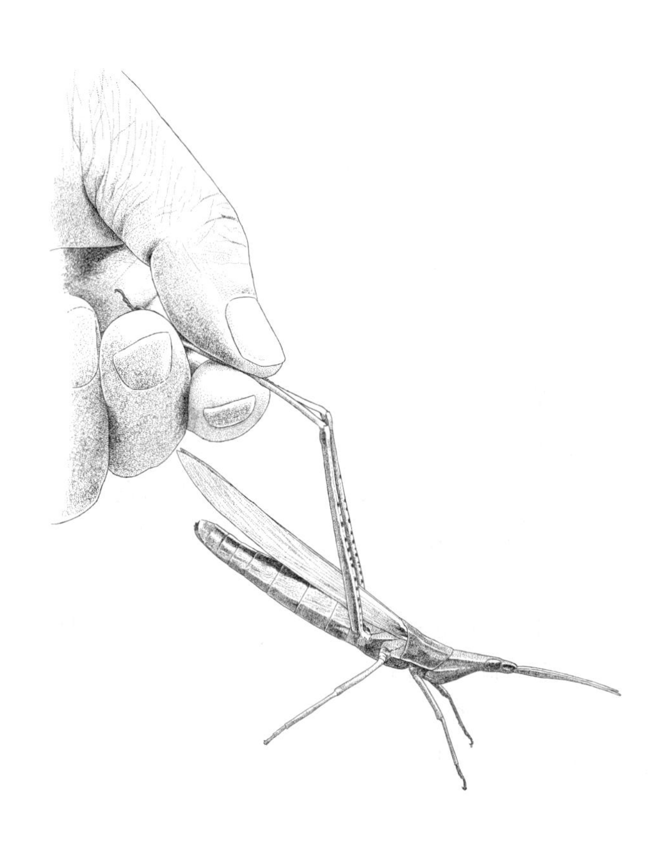

下活动。这个动作很像正在织布的织布机，因此中华剑角蝗也叫“织机蝗虫”。据说这个动作还很像水磨坊里杵臼捣米的样子，“捣米蝗虫”便也成了它们的名字。低声下气地一直点头哈腰的人也被冠以这一名号。

其实行动迟钝的只是个头较大的雌虫而已。雄性中华剑角蝗个头小，只有雌虫的一半大。想要得到雌虫的青睐，雄虫就必须体格轻巧、动作敏捷。刚悄无声息地举起捕虫网，雄虫就会拍拍翅膀发出“吱唧吱唧”的声音，逃之夭夭。因此雄性中华剑角蝗也被称为“吱唧吱唧蝗虫”。

然而，就算在同种的中华剑角蝗中，也有绿色型和褐色型之分。这是为什么呢？中华剑角蝗身体的颜色是由幼虫时代的湿度决定的。在湿度大的地方成长，就变成绿色成虫；湿度小的地方就变成褐色成虫。

湿度大就意味着周围有大量的植物。因此身体变成绿色就能很容易地融入周围的植物景观。相反，在湿度小的干燥环境中，植被稀少。因此将身体变成褐色便能与枯叶和沙地融为一体。

或许你会认为，假如绿叶枯萎，原本绿色的蝗虫也会随之变成褐色。但蝗虫并不会改变身体的颜色，而是会选择适合自身保护色的环境来守护自己。

螳螂
——螳螂夫人的真面目

据说雌性螳螂会吃掉雄性螳螂。螳螂会将任何在动的东西视为猎物，因此雄性螳螂需要避开雌性螳螂的视线，悄悄从背后靠近，然后趁其不备、一跃而上，骑在雌性螳螂的背上完成交配。简直就是在玩命啊。

相较于雄性螳螂，雌性螳螂对爱情就不那么执着，好像食欲更为要紧。就算在交配中，雌性螳螂也会扭转身体想要去抓住雄性螳螂。雄性螳螂既要避免自己被吃掉，又要继续完成交配。雄性螳螂对传宗接代十分执着，哪怕被雌性螳螂咬掉了脑袋，剩下的身体还是会继续完成交配。一旦交配顺利结束，雄性螳螂就得即刻逃命了，否则就会沦为雌性螳螂的腹中食。雄性螳螂的确很不容易啊。

螳螂的头部呈倒三角形，正面有两只巨大的复眼，能目测与猎物之间的距离。螳螂的颈部也十分灵活，能在不转动身体的情况下直视猎物。

在动物里，食草的斑马双目细长，位于头部的两侧，视野宽阔以便发现敌人；与之相反，为了精准测量与猎物的距离，食肉的狮子的眼睛在脸部正面。昆虫界中亦是如此，食肉的螳螂的眼睛长在脸部正面，食草的蝗虫的眼睛则在细长的头部两侧。无论是狮子

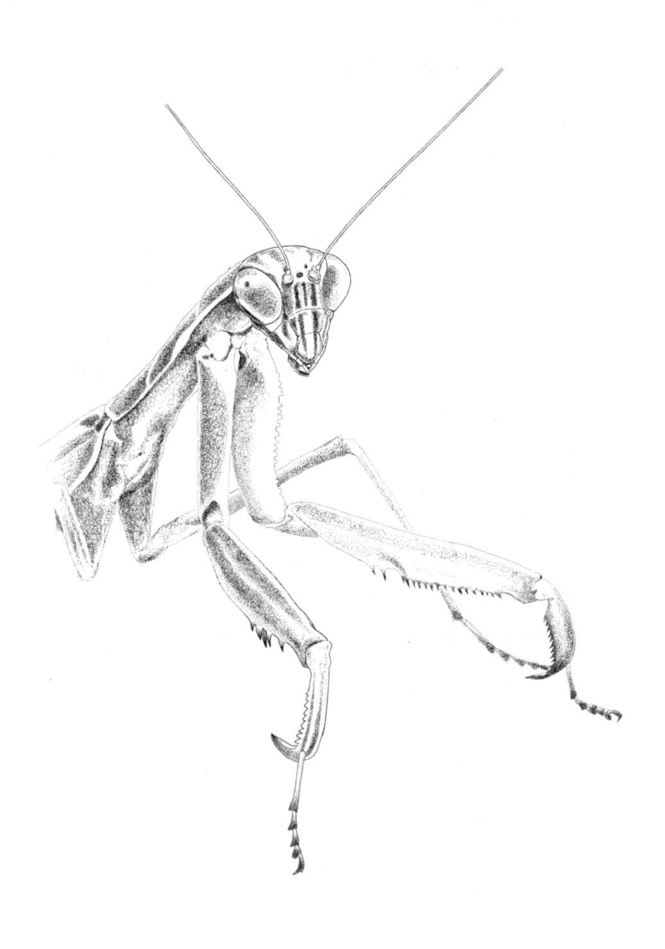

还是螳螂，都拥有相同的脸部设计，自然法则当真是妙不可言啊。

只要是出现在眼前的猎物都会猎食，连本该被深爱的雄性螳螂都毫不留情。在螳螂眼中，哪怕是带有毒针的蜜蜂也不过是只猎物，有时连青蛙和蜥蜴都沦为它的盘中餐。称螳螂为昆虫界的“黑社会”也不为过。

锁定猎物的螳螂会像风中摇摆的草木一般，左右摇晃着身子慢慢靠近。进入攻击范围之后，便以迅雷不及掩耳之势伸出镰刀手，擒获猎物，此间只需0.03秒。人就算眨下眼睛也得0.1秒，螳螂简直就是瞬息之速。这种快速的攻击法也成为中国“螳螂拳”的雏形。

螳螂无所畏惧。就算被敌人攻击，螳螂也会高举镰刀手做出拳击时的搏击姿势，再将翅膀张开吓退敌人。但可悲的是，螳螂不问对手，只是一味地逞强，或被猫残忍蹂躏，或遭到汽车无情碾压。明明是弱者，却要在强者面前做无谓的抵抗，也就有了“螳臂当车”一词。

在一些故事里，螳螂经常被刻画为凶神恶煞的形象，但仔细观察一下，它那圆溜溜的眼睛其实还挺可爱的。

而且，那双眼睛似乎一直都在盯着你，其实这是一种错觉。在螳螂的大眼睛里，有很多看上去像瞳孔一样的小黑点。即使改变观察角度，那些黑点似乎也在跟着移动。其实，昆虫的眼睛是由无数小眼组成的复眼，当人类视线与螳螂的复眼平行时，小眼内部便会倒映出人的眼睛，让人误以为是螳螂在一直盯着自己。所以只有从正面看螳螂时，才会看到那些黑色的小点。

充满神秘色彩的螳螂还有个别名，叫作“朝拜虫”。两只镰刀手并在一起摆动身体的样子，看起来特别像求神拜佛时合掌的姿势，由此得名。话说螳螂的英文名“mantis”意思是预言者，在德语中则被称为“向神祈祷者”。看来全世界对螳螂的印象还挺一致的。

飞蝗
——寂寞的骑士跳跃

“1号假面骑士”的变身者本乡猛是个改造人。邪恶组织“修卡”的科学家使这些之后变身假面骑士的改造人拥有了蝗虫的能力[25]。随着一声大喝，假面骑士从悬崖一跃而下、攻入敌营。假面骑士的跳跃、高空跳跃和侧飞踢等拿手好技都基于飞蝗的强健脚力。

假面骑士可以跳48米远，大概为身高的27倍。而飞蝗能跳1米远，大约是身长的20倍。与所向披靡的英雄相比，飞蝗的弹跳力也弱不了多少。如果用上翅膀的话，飞蝗还能跳到更远的地方。

虽然飞蝗有着惊人的弹跳力，可是着陆的本领却相当糟糕。明明是自己跳出去的，却好像是被扔出去一般摔在地上。对飞蝗来说，死里逃生的大跳跃或许也是一项略带疼痛的必杀技。

话虽如此，旨在征服世界的邪恶组织修卡为何会以飞蝗为蓝本来研制最强改造人呢？其实自古以来，飞蝗就是令人类闻风丧胆的存在。“某日，南部的天空出现了一小团云。起初就像地平线上升起的一片云霞，渐渐地就在空中扩散成了一个扇形。看起来似霞若云的东西其实就是蝗虫大军。没过多久，天色

25　以上均为日本特摄剧“假面骑士”系列的剧情。

昏暗，无数蝗虫的振翅声响彻天空。席卷之地，农作物尽失。”这是赛珍珠在以中国为背景的小说《大地》中对蝗虫来袭时的一段描述。飞蝗铺天盖地般涌入村庄，不仅吃光了农作物，甚至连草也不放过。被称为害虫的昆虫有很多，但能造成这般巨大灾难的虫子恐怕再无其他。

一旦遭遇干旱导致食物匮乏，平时温顺的飞蝗就会集中在某个特定的范围内寻找食物。随着种群密度的增加，飞蝗大军便席卷村落。在日本也有农作物因蝗灾被毁的记录，但在食物充沛的时期，便极少有蝗灾，飞蝗反倒总被孩童追逐，颜面尽失。

可近年来，飞蝗也越来越少见。飞蝗动作敏捷且飞行能力强，活动范围广，因此没有宽阔的草地便难以生存。以前到处都是草地，而在《哆啦A梦》《海螺小姐》等至今还在连播的怀旧动画片里，孩子们却总聚在堆放着水泥管的广场玩耍。水泥管是建筑材料，这意味着这个地方是工地，迟早会盖起楼房，草地也会消失不见。就这样，草地消失了，孩子们玩耍的地带和飞蝗的栖息地也消失了。如今，再也看不到拿着捕虫网追逐飞蝗的孩子们的身影了。

总的来说，在这个世界生存不易。在日益减少的草地里，飞蝗一直在重复着寂寞的骑士跳吧。

薄翅蜻蜓
——有去无回的赴死之旅

在城市秋意渐浓时，如果你还能在公园或窗外看到飞行的红蜻蜓，那它大概率就是薄翅蜻蜓了。准确地说，红蜻蜓指赤蜻属蜻蜓，比如秋赤蜻和夏赤蜻等，而薄翅蜻蜓并不属于赤蜻属，所以算不上红蜻蜓。秋赤蜻和夏赤蜻则是典型的红蜻蜓，就算它们在夏季是黄色的，到了秋天也会变得通红。可薄翅蜻蜓直到秋天也依旧是黄色。不过，由于薄翅蜻蜓和赤蜻属蜻蜓的样子和体态都十分相似，所以人们一般也叫它们红蜻蜓。

秋赤蜻和夏赤蜻这些典型红蜻蜓的幼虫都生活在水田中。羽化为蜻蜓之后，秋赤蜻飞去了凉爽的山里，夏赤蜻则移居到附近灌木林的树荫之中。等到秋意渐凉，才会再次回到水田产卵。往返于田间和山林的秋赤蜻和夏赤蜻只栖息在乡野和田园地带，可是薄翅蜻蜓在都市也能看到。

薄翅蜻蜓本是来自热带地区的蜻蜓，其中的一部分从南方漂洋过海来到了日本，接着便沿着日本列岛一路北上。在此期间，薄翅蜻蜓会在日本的水田里产卵来增加种群的数量。它们一路跋涉，所以也常出现在远离水田的城市里。

薄翅蜻蜓结伴而行，几乎一直都在不间断地飞

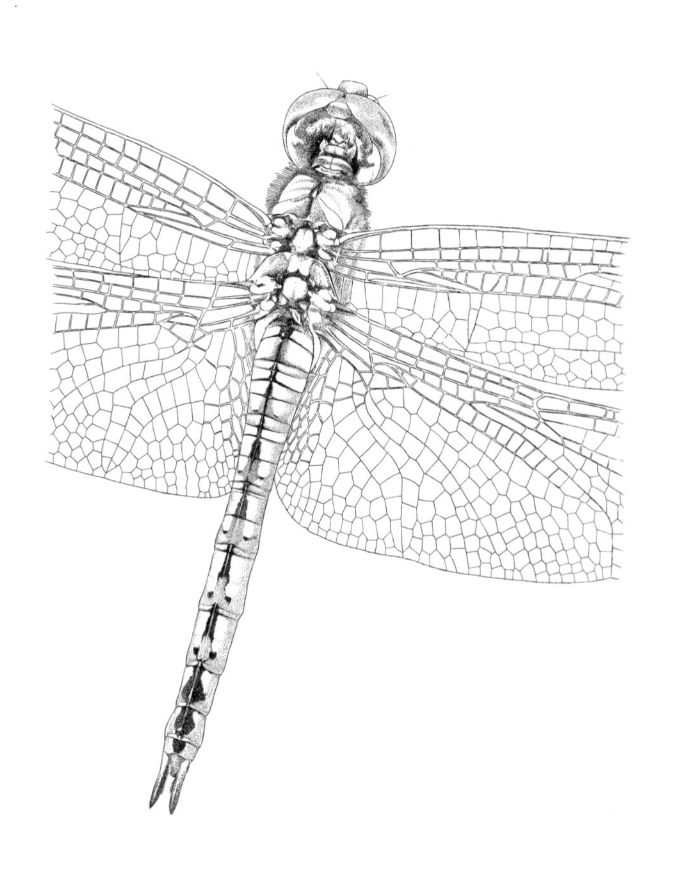

行。薄翅蜻蜓不仅体态轻盈，而且尽量不使用翅膀，乘风而行，因此才可以进行远距离的飞行。到了夏天，从九州到北海道，日本各地都有它们的身影。

古人看到突如其来、漫天飞舞的薄翅蜻蜓时感到错愕不已，完全想不到如此小巧的蜻蜓竟是远渡重洋而来。再加上薄翅蜻蜓经常在夏季的盂兰盆节前后出现，人们便以为它们是返乡探望、来自黄泉的先祖之灵。因此，薄翅蜻蜓也称为“精灵蜻蜓”或者“盂兰盆蜻蜓”。即便是今天，人们也不清楚薄翅蜻蜓究竟源自何地、通过怎样的路线来到了日本，何况是过去的人们呢。

成群结队的薄翅蜻蜓在秋季的天空中漫天飞舞。然而秋去冬来，来自热带的薄翅蜻蜓是熬不过日本的冬天的，最终都会尽数死去。好不容易产下的卵也不例外，因此薄翅蜻蜓不会留下下一代。真是一场名副其实的死亡之旅。

然而，次年又会有新一批薄翅蜻蜓大军漂洋过海来到日本。薄翅蜻蜓在全世界的分布十分广泛。它们凭借其引以为傲的飞行能力开疆扩土，一年又一年地抱着必死的决心进入日本。薄翅蜻蜓究竟为什么这么做呢？在几千年的漫长岁月里，薄翅蜻蜓一直重复着这有去无回的长途旅行。

秋赤蜻
——与漫天晚霞相映成辉

“晚霞中的红蜻蜓，请你告诉我，童年时代遇到你，是在哪一天？”在“最受欢迎的日本歌曲”调查中，这首童谣《红蜻蜓》一直都是名列前茅的超人气歌曲。

大家常说的红蜻蜓其实并不是一个蜻蜓种类。人们口中的红蜻蜓，一般是指小型的红色蜻蜓；从学术上来说，则是对赤蜻属那一类蜻蜓的总称。那童谣《红蜻蜓》中所唱的是众多红蜻蜓中的哪一种呢？昆虫学专家进行了各种推测，认为《红蜻蜓》的原型最有可能是秋赤蜻。歌词第五段的那句“轻轻停在枝头”就能证明。

红蜻蜓中，既有停在枝头的，又有悬挂在那儿的。经常停在枝头的红蜻蜓就是秋赤蜻。再加上秋赤蜻通体鲜红，到了秋天便成群交错飞行于落霞余晖间，与《红蜻蜓》里所唱的情景十分吻合。

的确，我们经常会看到秋赤蜻立于枝头的景象，这也是事出有因。昆虫是变温动物，当气温变低时，红蜻蜓就飞不动了。因此，入秋之后，随着气温下降，它们就得时不时地停在枝头来享受一下日光浴，让体温回升。更神奇的是，红蜻蜓停靠时的朝向居然都是一致的。为了能更有效地令体温回升，就得尽可

能地让身体沐浴在阳光里。因此，为了让面积最大的横腹长时间沐浴在阳光下，停在枝头的红蜻蜓就会面朝夕阳横向停靠。正因如此，我们才会经常看到一排朝着同个方向亭亭而立的红蜻蜓。

相反，在夏天，日照太强就容易导致体温过高。因此红蜻蜓会对着当头的阳光，将尾巴尖儿直直地立起来，就像倒挂着一样停在那儿。这样就能让受光面积降到最小，防止体温上升过快。

漫天飞舞的红蜻蜓，自古以来就深受日本人喜爱。秋赤蜻是生活在水田里的蜻蜓。水稻田里营养丰富，饵料众多，是特别适合秋赤蜻的幼虫水虿栖息的水域。在水田里羽化后的秋赤蜻，入夏后便会离开、飞往海拔超过1000米的高地。据推测，秋赤蜻的祖先是在冰河时代从北方迁移到日本的。生于北方、耐不住酷暑的秋赤蜻便会在夏天躲进深山避暑。入秋凉爽之后，才会从山上再次返回水田。

在冰河时期，秋赤蜻很可能只是默默无闻地栖息在湿地里；随着日本引进了水稻种植，开发出了水田，它们的栖息地才随之迅速扩大。自此，红蜻蜓在田间地头飞舞的景象很快遍布于日本各地。

在古代，日本也被称为“秋津岛”，而秋津是红蜻蜓早年的名字。据《日本书纪》里记载，秋津岛一名源自神武天皇俯瞰大和国时的一句话：“犹如秋津相连的形状”。雄性蜻蜓的腹部顶端有处突起，以此

抓住雌性蜻蜓的头部。随后，雌性蜻蜓的腹部顶端与雄性蜻蜓的腹部根部相接，结成一个环状进行交配。神武天皇觉得大和国的形状像极了此情此景。

徘徊在水田上空的红蜻蜓肩负捕食害虫的重要职责，因此深受人们的喜爱和重视。在一些地区方言中，红蜻蜓被称为“水田之神”。田间飞舞的红蜻蜓被视为丰收的吉兆。

可在欧美，蜻蜓被称为“dragonfly”，被视为不祥之物。在西方的童话中，沼泽和湿地通常被刻画为阴森可怕的地方。陷入无底的沼泽会丧命，湿地里还有众多传播病原菌和疾病的蚊虫，对于欧洲人来说是避之不及的地方。因此徘徊在湿地周围的蜻蜓也被视为不祥的存在。

日本和欧洲对蜻蜓的印象居然有天壤之别。

胡蜂
——需警惕的武装集团

铁路道口的栏杆都呈黄黑相间的条纹状。黄色是亮色，具有扩散性，看起来特别醒目。相反，黑色是暗色，具有收敛性。亮色与暗色的对比色组合在一起，就显得黄色更为醒目。为了引起人们的注意，道口栏杆使用了黑黄相间的警戒色。出于同样的理由，建筑工地和工厂等地也经常使用黑黄双色组合。

蜜蜂等蜂类也呈黑黄相间的条状花纹，的确令人生畏。实际上，蜜蜂就是用黑黄相间的警戒色来强调自己的存在的。绝大多数昆虫为了自保、避开鸟类，会用保护色防身。但是，蜜蜂等蜂类是自带毒针的危险昆虫。比起与鸟类发生无谓的争斗而被误食，还不如一开始就警告鸟儿“千万别吃我，我可是极度危险的虫子”。这样对鸟儿、对蜜蜂来说都好。

刚刚离巢的幼鸟可能会误食蜜蜂。但吃过一次亏的鸟儿，下次就会特别当心黄黑相间的昆虫了。即便是完全不同的种类，胡蜂和长脚蜂也使用同样的警戒色，都是为了让鸟类记住这种危险的信号。

蜂类中最危险的莫过于胡蜂一族了，其中金环胡蜂[26]体格最大，傲视群蜂。在山野之外，城市中的胡

26 金环胡蜂，又名大虎头蜂、杀人蜂。

蜂以湿垃圾里的鱼肉为食，其数量也在急速增加。在死于野生动物的受害者中，死于胡蜂的人数远远超过了死于熊和蟒蛇的人数。胡蜂是潜伏在人类身边的危险分子。

每年的8至10月，胡蜂袭人事件就会显著增加。越冬后，蜂后单枪匹马地开始筑巢，接着便开始收集食物、养育幼虫。总算到了夏天，第一批工蜂诞生了，蜂后便和工蜂一起劳动。渐渐地，工蜂越来越多，开始分别承担筑巢和照顾幼虫的工作，蜂后便开始专心致志地产卵。于是，工蜂不断诞生，巢也越来越大，胡蜂大家族的成员也增至几百只，活动更加频繁。胡蜂最为活跃的时候恰值秋高气爽之时，也是人们远足、采蘑菇的大好时节，因此胡蜂袭人事件在此时激增。

其实胡蜂也有苦衷。胡蜂实行防御原则，不会无端发起进攻。夏末秋初之际，蜂群逐渐庞大，领地也随之扩大。可即便为了守护领地，胡蜂也不会立马攻击。只有在人类闯入领地时，胡蜂的侦察部队才会紧急出动，进入戒备状态。随后便围在人类周围徘徊，发出嗡嗡的振翅声、咬牙切齿般的咔咔声来示威。如果人类还未注意到、无视警告继续接近巢穴的话，胡蜂便会为了守护巢穴，一同发动进攻。对胡蜂来说，这只是一场再三警告无效之后才无奈发起的保卫战而已。

胡蜂最强的武器是毒针，而这根针其实是用来产卵的管道。因此，只有雌性胡蜂才拥有螫针。开始集体生活之后，蜂后之外的雌蜂就都不需要产卵了，而是负责在各大强敌的觊觎下守护巢穴。为了守护家族，胡蜂等社会性蜜蜂才会练就了强大的攻击方式。

夏天过后，蜂后便日益衰弱。预感到死期的蜂后开始生产雄蜂。雄蜂没有螫针，一无是处，只是被工蜂供养着。此后，被选出的幼虫中将诞生下一代蜂后。终于到了改朝换代之时，即便老蜂后死了，遗留下来的工蜂也作业如常。没有了蜂后，工蜂便会代替它产卵，而因为这一过程没有经过交配，所以产下的都是未受精的卵，最终都会变为雄蜂。

到了秋天，新的蜂后和雄蜂便会飞离巢穴，与其他巢穴的胡蜂交配。交配后的雄蜂完成了使命，很快就会死去，留在巢穴的工蜂最终也都会死去。只有交配之后的新蜂后留了下来，在度过冬天后，重新组建新的家族。

胡蜂会做出可由一人环抱那么大的巨大球状巢穴，可就算是如此热闹的巢穴到了秋天也会变成一具空壳。胡蜂的巢穴是一次性的，不会被再次使用。人们会将空置的胡蜂巢穴带回家，装饰在门口当作辟邪之物。

最近，一旦发现了蜂巢，除虫公司便会立即赶来，胡蜂已然成了全民公敌。但在夏天，为了给幼虫喂食，胡蜂会拼命捕捉稻田菜地里的害虫。虽然以前的人也害怕胡蜂，但起码知道胡蜂在守护着菜地。

虎斑天牛
——模仿与被模仿的虫子

都说人类最注重第一印象。尽管内在很重要，但要立马判断一个人，往往就不得不以貌取人了。于是，诈骗犯一般都是西装革履；著名的“三亿日元特大抢劫案”的犯人就假扮成了警察，欺骗了在场所有人。如果要隐瞒身份，关键就是要比常人更注重外表。

昆虫界中也有很多鱼目混珠的家伙。带毒针的蜜蜂为了不让鸟类攻击自己，通过黑黄相间的警戒色来强调自己的存在，而且鸟类也知道黑黄配色的昆虫是危险的化身。换句话说，只要身上带有黑色和黄色的花纹，就不太容易遭到鸟类的攻击。

虎斑天牛，正如其名，全身如同虎皮一般，呈黑黄相间的色彩。因为看上去像蜂类，它们自然就不会遭到鸟类袭击。当然，虎斑天牛并没有蜜蜂那样的毒针，纯属一个大骗子，只是假扮成蜂类来欺骗鸟类。不仅是身体的颜色，虎斑天牛的飞行姿势甚至都和蜜蜂极为相似。不只拟态，就连动作都模仿，真是可恶。

有个词叫“狐假虎威”，就虎斑天牛而言，则是“虎”借了威。除了虎斑天牛，没有毒针的牛虻和蛾类等昆虫中也有通过对蜜蜂的颜色和外形进行拟态来防身的。就像尺蛾和竹节虫模拟树枝一样，这类昆虫模仿的是蜜蜂。

之前，我们介绍过用大红大黑的配色来彰显自己、分泌臭味液体的瓢虫。自然界中同样也有模仿瓢虫来防身的机灵鬼。伪瓢虫不会像瓢虫那样分泌很臭的液体，却伪装成瓢虫的样子来欺骗鸟类。其他模仿瓢虫的昆虫还有叶甲、飞虱、蟑螂等。

虽说鸟儿被骗得团团转，但这并不是因为鸟儿笨。相反，正是因为鸟儿太聪明了才会上当。鸟类不仅记性好，而且学习能力强。因此，误食过带毒针的蜜蜂或带毒的苦味虫子的鸟儿便吃一堑长一智，此后变得格外小心谨慎。假如鸟类头脑简单、胡乱捕食，就不存在这种智力比拼了。昆虫正是利用了鸟类的聪明头脑。

说到昆虫的模仿程度，其实连人类都极易被骗。这些昆虫和模仿秀演员很相似，如果模仿一个谁都不认识的人，便毫无意义。于是，蜜蜂和瓢虫经常被模仿，正因为它们是鸟类世界中众所周知的存在。在人类社会，个性鲜明的大牌艺人经常被模仿，昆虫界也是一样。

蚂蚁也是经常被模仿的昆虫之一。调皮的孩子常常会用放大镜烧蚂蚁，或者用水管将水灌进蚁穴之中。虽说饱受凌辱，但蚂蚁是公认的陆地上最强大的昆虫。蚂蚁不仅有攻击力，而且善于团队作战。对其

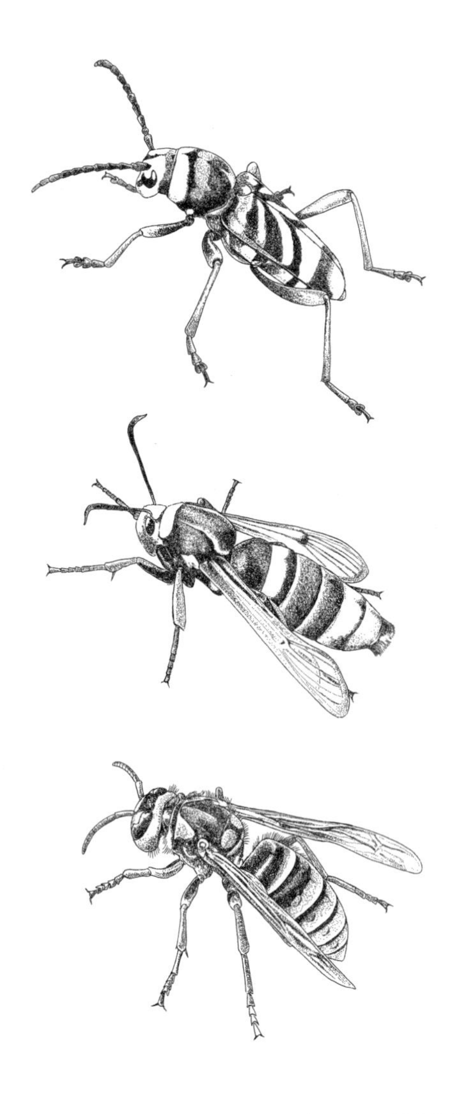

他昆虫来说，蚂蚁是恐怖的存在。带毒针的长脚蜂之所以将巢穴悬挂于半空中，据说就是害怕遭到蚂蚁的袭击。蚜虫通过尾部分泌出的甜汁取悦蚂蚁，也是希望蚂蚁能为自己驱赶瓢虫。即使是其他昆虫都竞相模仿的蜜蜂和瓢虫，也都无法战胜蚂蚁。因此，为了免受其他昆虫的攻击，模仿蚂蚁是一种有效的自保手段。

自然界中，有像极了蚂蚁的蜘蛛，还有蜜蜂为了拟态蚂蚁甚至放弃了自己的翅膀。此外，刚孵化出来的小螳螂幼虫全身漆黑，也是为了拟态蚂蚁。蜘蛛、蜜蜂和螳螂等昆虫虽令其他昆虫瑟瑟发抖，自己却在拼命地模仿蚂蚁，非常有趣。这也充分证明蚂蚁具备值得被模仿的超强实力。

女郎蜘蛛[27]
——云端之上的蜘蛛

四处结网捕虫的蜘蛛一直被视为大反派。在一些童话故事里，昆虫被拟人化，人类被缩小了。众人齐心协力，营救被困在蜘蛛网中的蝴蝶、蜻蜓等昆虫，就在千钧一发之际，小人们撕破了蛛网，成功逃脱。主角都松了一口气："太好了。"

可转念一想，留在原地的蜘蛛也很可怜吧。好不容易等来的食物成了从嘴边飞走的鸭子，千辛万苦织的蛛网也被毁于一旦。

蜘蛛一直等待着猎物自投罗网。等待过的人一定深有体会，这得需要多大的耐心呀。等待是一种被动的行为，自己无能为力，唯有等对方前来。

对蜘蛛来说，几天才能吃上一顿饭是家常便饭的事。因此，蜘蛛已经习惯了饥饿。为了节省能量，它们会一动不动地长期埋伏。当然，蜘蛛不会疲于蹲守而打起瞌睡。一旦察觉到猎物落网、引起蛛网振动，瞬间就能来到猎物跟前，用丝将其牢牢缠住。这是何等的爆发力和专注力啊。在遥遥无期的等待中还能时刻保持高度集中的注意力，绝非易事。

入秋后常见的蜘蛛就是女郎蜘蛛。女郎蜘蛛呈黑

27　女郎蜘蛛，又称络新妇、横带人面蜘蛛、棒络新妇。

黄相间的条纹色，特别容易辨识。据说这也是在模仿蜜蜂的配色。我们刚刚介绍了带毒针的蜂类使用黑黄配色的警戒色，警告天敌鸟类切勿误食了自己。于是，虽然无毒但借此良策、通过拟态蜜蜂来躲避鸟类的昆虫也不在少数。女郎蜘蛛也不动声色地借用了蜜蜂的威慑力。

女郎蜘蛛有时也会将落入蛛网的胡蜂捕食享用，但有时也会被胡蜂反击，反被捕食。胡蜂也好，女郎蜘蛛也罢，都是昆虫界里的翘楚，可都还得用黑黄相间的模样来避开鸟类的攻击。所以对昆虫来说，鸟类才是格外的恐怖。

如果仔细观察女郎蜘蛛的蛛网，就会发现上面有好几只小蜘蛛。其实这些都是雄性女郎蜘蛛，巢穴正中的大蜘蛛则是雌性女郎蜘蛛。雄性女郎蜘蛛来到雌蛛的巢穴，等待雌蛛发育成熟。等到雌蛛发情，雄蛛便即刻前来交配。交配后的雌蛛在产下虫卵之后便会死去。直到春天，才有小蜘蛛从卵里孵化出来。接着就是一场等待着这些小蜘蛛的大冒险。

小蜘蛛会爬上高高的枝头，从尾部抽出长长的丝线。这些丝线随风而动，小蜘蛛便乘着丝线向高空起航。这一景象被称为“飞气球”，就像气球飞到空中一样。连翅膀都没有的蜘蛛却能在空中飞翔，多么奇妙呀。

可到底能飞多远呢？这场冒险毫无定数。据观察，甚至在几千米的高空也有在飞的女郎蜘蛛，堪称顶级的飞行能力了。不愧为云端之上的蜘蛛啊。

竹节虫
——森林忍者的真谛

人们似乎特别喜欢“七”这个数字。在英文里，它是“lucky seven”（幸运七）。在日本，奇数七也是个吉利的数字，因此在七福神、七五三[28]、七草[29]等日本传统习俗里都有七。此外还有“世界七大奇迹”和“七宗罪”。最近很多书的标题叫“七个理由”“七个习惯”，可能是觉得记下七件事最合适。另外，七好像也比较容易措辞，有排七、七个小矮人、七只小羊、七武士等，还有日本俗语中的“完人亦有七癖”[30]“双亲的七彩霞光”[31]等说法。

在日本，竹节虫又被称为七节虫。可这里的“七节”并不是指七个关节，更像是对“很多”的泛指。乍看去，竹节虫身上有很多关节，所以取名为“七节虫”。

竹节虫还有个别名，叫“森林忍者”。竹节虫身上有很多关节，通过拟态树枝来隐匿身形，如此便能躲避鸟类等外敌的攻击得以自保。竹节虫还是夜行昆虫，在鸟类活动频繁的白天化形为树枝、几乎一动不

---

28 七五三，日本祈福孩子健康成长的节日。

29 七草，指日本人在每年正月初七喝七草粥、祈求一年无病无灾的传统习俗。

30 类似中文中的“人无完人”。

31 类似中文中的“祖上庇荫”。

动。因此，它们极难被发现。

除了拟态树枝，竹节虫还有很多法子自保。“七”在一些短语中也指武器的数量，比如“七件法宝”或棒球中的“七色变化球”。那么，就让我们来看看竹节虫的七种防身术吧。

一般情况下，昆虫在隐藏自身时都会纹丝不动。但是，竹节虫却会时不时地左右摇摆身体，看起来就像是随风摇摆的树枝。躲在随风飘动的枝叶中，一动不动反而会显得格格不入。因此竹节虫模仿风中摇曳的树枝，摆动着身体。

但无论怎么隐藏，终有被发现的时候，此时只能立马逃命了。那怎样才能逃过此劫呢?

一旦发觉自己暴露，竹节虫便会松开抓住树枝的脚，径直落到地面，这便是从鬼门关逃生的最快手段。接着，便会落在地上装死。地上有无数小树枝，将两条前腿向前伸直、贴近身体，再把其他的腿藏起来，竹节虫就这样伪装成了一根小树枝。如此便不易被发现了，即便被啄被抓，竹节虫也纹丝不动，倾尽全力演好自己的角色。

虽然一直逃跑和躲藏看上去有些可怜，但忍者就是这样的存在。忍者不是什么武装组织，而是负责刺探敌人情报的间谍活动。忍者的任务并非与敌人战斗，而是保证不暴露自己并顺利逃脱，避免不必要的战斗。从这个意义上来说，竹节虫就是真正的忍者。

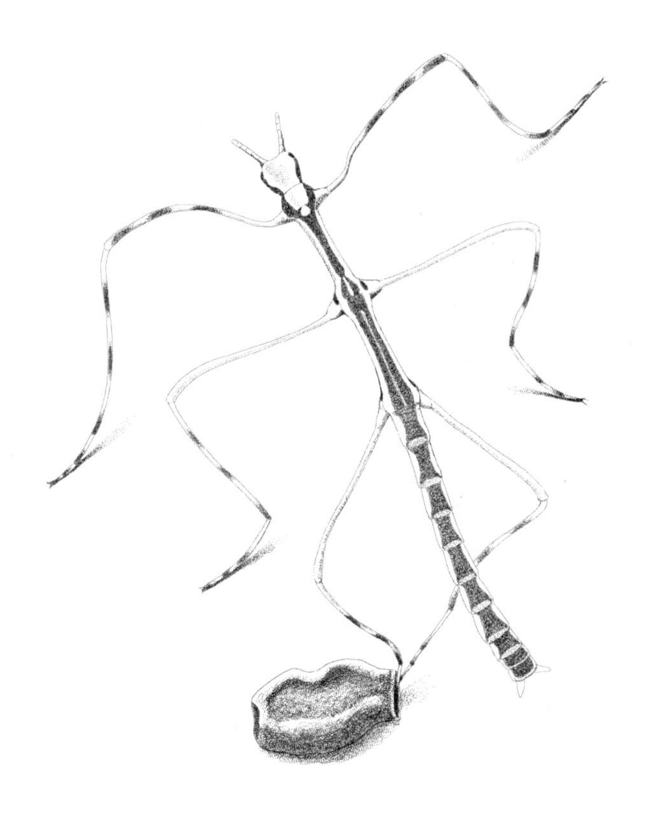

那万一被抓住又该怎么办？竹节虫还有一招。如果被抓住了脚或触角，竹节虫就会像壁虎断尾那样，切断被抓住的部分得以逃脱。就在敌人分心之际，竹节虫便能趁机逃脱并躲藏起来。为了保命，扔条腿也是无奈之举。假如此时的竹节虫还是幼虫的话，即便弃足而逃，被截断的部分也能随着每次蜕皮一点点长回来。竹节虫居然还有正儿八经的再生术。

可善于隐藏术的竹节虫，在刚孵化为幼虫时会肆无忌惮地动来动去。于是，人们很难发现竹节虫的成虫，竹节虫的幼虫却在森林中随处可见。或许，你会觉得这是因为幼虫还小，尚未掌握隐匿之术，其实不然。对幼虫来说，忙不迭地爬来爬去才是最佳的隐身术。这是怎么一回事呢？大一点的竹节虫幼虫和成虫的天敌是鸟类，可刚孵化的幼虫的天敌却是其他昆虫。隐身手段对鸟类来说是有效的，但逃不过其他昆虫的眼睛。我们在前面的章节介绍过，在昆虫世界，蚂蚁是令人生畏的强者存在。所以竹节虫的幼虫爬来爬去其实是在拟态蚂蚁。

千万别小瞧了孩子，竹节虫自打出生便是当之无愧的忍者啊。

短翅灶蟋
——曾经的厨房多么令人怀念呀

在日本和歌集《百人一首》里，有首关于蝈蝈的诗（第91首）：“螽斯夜鸣深秋矣，满室成霜一客孤。”不觉得这首诗有点奇怪吗？蝈蝈叫得最欢的时候明明是盛夏的白天，这首诗里的虫鸣声却出现在寒秋的深夜。这是为什么呢？

其实，《百人一首》里描述的并不是蝈蝈，而是蟋蟀。换句话说，诗里的“螽斯”就指现在的蟋蟀。在万叶年代，“蟋蟀”指在秋天[32]鸣叫的虫子，所以当时的蟋蟀就相当于现在的蝈蝈。总而言之，平安时代的蟋蟀和蝈蝈和现在是完全相反的。

那么为什么古代的蝈蝈变成了现在的蟋蟀，古代的蟋蟀又变成了现在的蝈蝈呢？原因不详，虽然舞文弄墨的贵族阶级喜欢聆听和欣赏“虫鸣声”，将之视作风流雅事，却又鲜少有机会真正去捕捉和认识昆虫。后来，随着平安时代贵族文化的衰败，赏玩秋虫的文化便流传到了武士阶级和市井老百姓中。所以人们推测，也许是在这一过程中两种昆虫的名字被搞混了。

话说，蝈蝈是因其“聒聒”之声而得名的。蝈蝈

32　万叶年间的秋天指现在的7至9月。

既然曾指蟋蟀，那蟋蟀也是“聒聒”叫的吗？可在人们的印象中，蟋蟀一般是“啾——吕吕吕吕”这么叫的。“啾——吕吕吕吕”叫的是一种叫作黄脸油葫芦的蟋蟀。它个头大，叫声也明显。提到蟋蟀，大多指的就是黄脸油葫芦。可实际上蟋蟀的种类繁多，种类不同，发出的声音也不一样。

据说发出“唧唧”般叫声的是短翅灶蟋。短翅灶蟋得名于在外屋做饭时用的“灶台”。虽然名字里带有极具日本风情的“灶”字，但短翅灶蟋是来自热带的蟋蟀。

到了秋天，日本的蟋蟀会将卵产在泥土里，以虫卵的形式越冬。可是原本栖息在热带的蟋蟀是没有季节观念的，就算在冬天也以成虫的形态度过。当然，来自热带的蟋蟀在寒冬腊月的野外是无法生存的，于是就选择在生火做饭的灶台附近过冬。因此，对古人来说，在家中传来声声虫鸣的短翅灶蟋是最为亲近的蟋蟀了。《百人一首》里在晚秋霜降之夜传来的虫鸣声，应该就来自栖息在温暖灶台间的短翅灶蟋吧。

可是现在，已经没人用灶台了。因此，从万叶时代开始就躲在日本屋内度过四季存活下来的热带短翅灶蟋，如今也极难再觅行踪。别说灶台了，现代生活中全是速食品，连电饭煲都没有的家庭也不在少数，甚至有些家里连菜刀和砧板都没有。万叶时代的短翅灶蟋一定想不到，日本的饮食生活竟会变成这样吧。

铃虫[33]
——电话那头是什么声音?

一到秋天，就会经常看到有人在出售铃虫。从平安时代开始，铃虫的虫鸣声就深受大众喜爱，到了江户时代便开始人工饲养。就像现在，铃虫作为秋天的风物诗出售。

之所以名为铃虫，是因为那清爽怡人的“铃铃”之声，确实如同铃声一般。其实，铃虫在平安时代被称为“松虫”。搞不懂的是，昆虫图鉴里居然也有松虫。那现在的松虫在当时叫什么呢？令人意外的是，它们在当时叫铃虫。

铃虫是“铃——铃——”地叫，而松虫是“唧——唧隆啉”地叫。古人觉得风铃的声音是“唧——唧隆啉”似的。说起来，风铃的声音是节奏较快的“铃铃铃”声，“铃——铃——”确实有点不像风铃的声音。松虫的叫声更像风铃的声音。况且平安时代的风铃是发出威慑之声的除魔道具，被风吹后会发出“哐啷轰隆”的声音。这么看来松虫的声音的确更接近风铃的声音。

那铃虫为什么会被称为松虫呢？平安时代的人们觉得“铃——铃——”的叫声听起来像风拂过松林的声音，于是将铃虫称为松虫。多么有意境的名字啊。

33　铃虫，又称钟蟋。

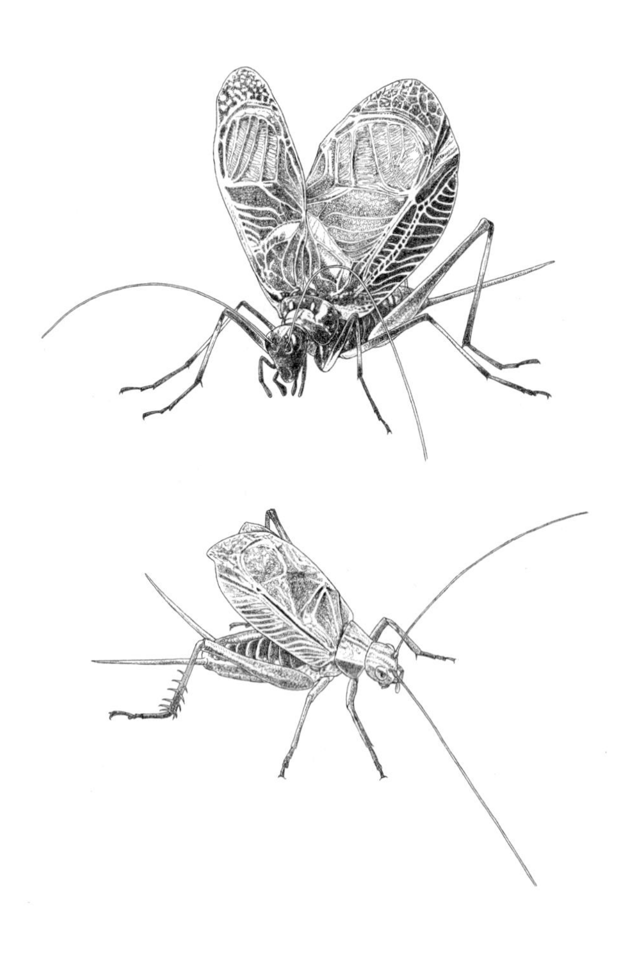

不得不说，论给昆虫起名字的水平，古人还是略胜一筹的。

自古以来，虫鸣声一直被视为日本秋季的风物诗。但在全世界范围内，能用“铃——铃——”“唧——唧隆啉”这样的拟声词来描述虫鸣声的好像也只有日本人了。似乎大多数外国人会觉得虫鸣声是一种“虫子发出的噪音”。有研究认为，这和日本人特殊的脑活动有关。

日本人用负责语言功能的左脑聆听虫鸣声，因此听到就能用语言表达出来。像这样用左脑去聆听虫鸣声是日本人和波利尼西亚人的特性。与之相反，欧美人用右脑听虫鸣声，所以听到的只能是噪音。

那么铃虫等秋虫又如何呢？各种虫鸣声混在一起，它们能分辨出彼此的声音吗？秋虫靠摩擦翅膀发出声音，不同种类秋虫的声音频率也有所差别。因此，人们认为虫子能辨别出自己的声音。比如，蟋蟀的同类能发出5000赫兹的声音，而铃虫的叫声约为4000赫兹。

顺便说一下，根据人类的声音，电话能传送的声音频率被设定在3400赫兹以下，所以虫鸣声在电话里是无法被传送的。很遗憾，铃虫等秋虫煲不了电话粥。

不能用电话联系的话，就只能见面了。铃虫等秋虫发出虫鸣声其实是雄虫在呼唤雌虫，雌虫也通过虫鸣声来选择雄虫。当只有一只铃虫在叫时，它断断续续地发出缓慢而优雅的“铃——铃——”声来吸引远处的雌虫。可当其他雄虫靠近时，为了更显眼，便会发出更高调刺耳的“铃——铃——”声。人们觉得这种相互比拼的叫声很优美，于是将几只雄虫放在一起饲养。在漫漫秋夜传来的优雅虫鸣声，其实是雄虫之间相互比拼魅力的个人秀。

不过雌虫是否真的是通过声音的大小来判断雄虫的优劣、选择自己的另一半的呢？声音越大就越容易招来敌人的袭击，不利于生存。所以人们猜测，或许雌虫会觉得大嗓门的雄虫定是历经了磨难，必定强健无比。和铃虫一样，雄性孔雀之所以拥有那一尾不利于飞行、极为累赘的羽毛，也是在通过展示对生存不利的条件来彰显自己的强大。

西瓜虫
——远古海洋的记忆

很久很久以前，在5亿年前古生代的地球上，各种各样的生物都发生了显著的进化。这一现象被称为“寒武纪生命大爆发”。但绝大多数在当时盛极一时的生物，在古生代末期却突然销声匿迹了，这便是“二叠纪生命大灭绝”事件。此次大灭绝的规模超过了恐龙和菊石灭绝的白垩纪末期大灭绝，导致地球上90%的生物消失。

在古生代的海洋中最为繁荣的三叶虫也在此次大灭绝中彻底绝迹，但或许三叶虫的后代仍在你身边悄悄地延续着生命。它就是西瓜虫。话说西瓜虫和三叶虫长得还挺像的，虽然不能完全确定三叶虫就是西瓜虫的祖先，但我们可以认为西瓜虫是从三叶虫那类进化而来的。

穿越地球如此漫长的历史而延续至今的西瓜虫，在遇到危险时会卷成一个球，特别可爱，因此也被称为“丸子虫”或“球虫”，是孩子们最爱玩的小虫子。

其实西瓜虫是经过了一番进化的虫子。毕竟三叶虫是在海里生活，而西瓜虫已经成功地进化到了陆地上。西瓜虫和三叶虫都是甲壳类，和蟹、虾属同一类。甲壳类中，蟹和虾都栖息在水中或者水边，只有西瓜虫适应了陆地上的生活。

我们人类也经历了从鱼类到两栖类、爬行类，再到哺乳动物的进化。从鱼类到两栖类的进化则需要经历从海洋到河流，从河流到湿地，再从湿地到陆地的过渡。因此，淡水环境中有青蛙和蝾螈等两栖动物。在淡水、湿地生活的节肢动物成功登陆后，就变成了昆虫。因此，今天在地球上繁衍生息的昆虫数不胜数，却几乎没有生活在海洋中的昆虫。

不过，人们认为西瓜虫是直接从海洋进化到陆地上来的。与西瓜虫类似的还有海蟑螂和鼠妇，海蟑螂生活在浪花四溅的海岸岩石处；鼠妇栖息于陆地，但喜欢生活在潮湿的地方。所以，人们认为鼠妇由海蟑螂进化而来，而西瓜虫是由鼠妇进化而来、适应了更为干燥的环境的潮虫。

西瓜虫的学名叫作普通卷甲虫，得名于遇到敌人就迅速卷成一团的穿山甲。的确，被小孩轻轻一碰，西瓜虫就会卷成一个小球。但这样做的目的并不只是避敌防身，更重要的是防止身体干燥。同样，为了防止体内水分蒸发，西瓜虫背上的硬甲壳也坚硬无比。此外，西瓜虫大多成群聚集在石块下和枯树叶下，身体紧挨着彼此，这样也能减少体内水分的蒸发。从前，西瓜虫也经常出现在厕所附近，所以被称为“厕所虫”。那是因为以前的厕所很潮湿，西瓜虫便选择了利于保湿的环境。

我们还能经常在水泥砖的缝隙里看到西瓜虫。这

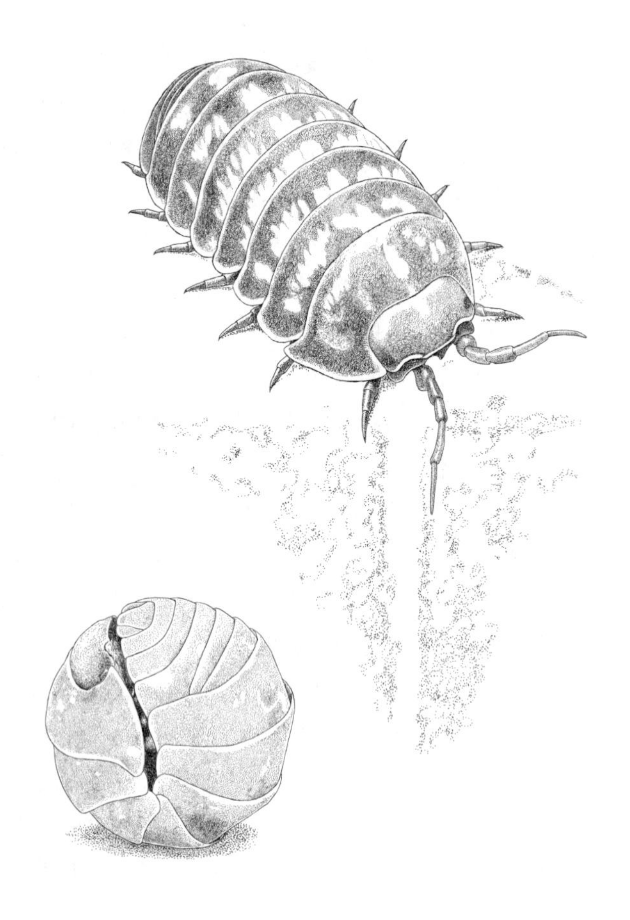

又是为什么呢？没想到，西瓜虫居然吃水泥砖。西瓜虫坚硬的甲壳是由碳酸钙形成的，而水泥砖里含有碳酸钙。海水中有丰富的碳酸钙，可陆地上没有，于是西瓜虫便不得不从石灰岩中摄取这种物质。

雨过天晴，水泥墙上还经常有蜗牛出没，蜗牛也在水泥墙上摄取碳酸钙来制作外壳。同理，蜗牛也由海里生活的贝类进化而来，逐渐适应了陆地生活。

就这样，西瓜虫和蜗牛在水泥墙上神奇地相遇了，对于背井离乡的它们来说，水泥墙上满是大海母亲的味道。

蠼螋
——母爱深似海

蠼螋的英文是“earwig”（耳虫）。从前在欧洲，大家都相信蠼螋会爬进梦中人的耳朵，再进入大脑产卵。即便是如今也还流传着刚孵化的蠼螋侵食大脑的都市传闻。当然，这些都是迷信。据说，是因为孩子们喜欢玩一种把蠼螋的螯钳夹在耳垂上、让蠼螋倒挂在耳朵上的恶作剧，才有了这种都市传说。

在日本，蠼螋叫作“剪刀虫”。正如其名，蠼螋的尾部末端长了一对大剪刀似的螯。人们认为，这对螯是由常见于蟑螂等古老昆虫身上的两根尾毛进化而来的。就像蝎子挥舞毒刺一样，蠼螋挥动着尾部的螯来避敌自卫。此外，在捕食西瓜虫和蠕虫时，它们可以用螯紧紧夹住猎物扭动的身体慢慢享用。

如果翻开一块石头，我们可能会看到一只左右乱窜、慌不择路的蠼螋，但有时它又一动不动地待在原地。在后一种情况下，蠼螋身旁往往有产下的卵。如果再试着拨开蠼螋去查看那些卵，蠼螋就会挥螯恐吓。

在之前介绍负子蝽时，我们曾提过，大多数昆虫处于食物链的底层，为了留下后代就得大量产卵。如果产卵少，就需要有具有足够能力来守护虫卵的双亲。有强螯傍身的蠼螋便通过守护虫卵的方式来提高

种群的生存率。

蠼螋妈妈会伏在虫卵上保护孩子。为防止虫卵发霉，会一个一个地仔细舔舐，还会定期移动虫卵的位置，使之充分接触空气。在虫卵孵化之前，妈妈会寸步不离地守着，也不去觅食，废寝忘食地照顾虫卵。或许老天也在考验蠼螋的母爱吧，蠼螋的孵化期在昆虫界里算长的，能达到40天，有些甚至需要80天。

但即便终于孵化出了幼虫，母亲也不能功成身退，还有最后的使命。刚孵化出来的幼虫无法觅食。因此，为了刚出生的孩子，母亲会献出自己的身体供孩子们食用。也不知是不是知道了母亲的良苦用心，幼虫开始贪婪地啃食母亲的身体，多么残酷的画面啊。可若不吃，便会饿死，辜负母亲此前千辛万苦的养育。就算已经筋疲力尽，蠼螋妈妈仍可以逃离此地。但是蠼螋妈妈没有撒手不管，而是静静地等着孩子将自己啃食殆尽。

在母亲血肉的滋养下，孩子们逐渐茁壮成长，直到终于可以独自出去觅食的时刻。这是何等悲壮的育儿史啊。但我相信，母亲的情感终能传递给孩子。当孩子长大后，也同样会为自己的孩子献出一切。如此，蠼螋便能将生命代代相传。这才是所谓无价的爱吧。

反观人类又如何呢？说是为了孩子，难道不是为了自己的虚荣心和晚年生活，才试图让孩子进名校吗？难道不是因为只图自己幸福，才将榨取尽资源后造成的环境问题留给孩子们吗？那些挥螯护卵的小虫子，不正是我们人类需要学习的榜样吗？

啮虫
——妖怪都去哪儿了

黄昏时分走在河边，除了潺潺水声，还能听到不知从何处传来的洗红豆似的唰唰声。四下寻声却不见踪迹，只能听到这种诡异声响。如果被声音诱惑而靠近的话，就会不小心掉进河里。

这里描述的就是在《鬼太郎》等漫画里出现的为人熟知的妖怪——洗小豆。有人说洗小豆是个秃顶的男人，也有人说是个小和尚，还有人说是位老太太。此外，有人说遇见妖怪洗小豆就会走运，有人却说遇之必死，都没个确切的说法。最终就是无人知道洗小豆的真面目。

到了江户时代后期，人们才终于揭开了妖怪的真面目，居然是只仅有芝麻大小的虫子。此虫名叫啮虫，仅有几毫米大小，几乎微不可见。可就其发出的声音，却令傍晚寂静昏暗的房间笼罩上了一股阴森的妖气。

但人们至今都不知道啮虫是如何发出声音的。根据观察，有人说是啮虫通过头部的颚和胡须，以及腹部和尾部敲击或者摩擦薄如纸片的东西发出声响，也有人说它的后腿根部有发声器官。洗小豆真正的声源，至今仍是个谜。

啮虫种类繁多，栖息在屋内的啮虫就有数种。在室内的啮虫发出的声音与障子[34]产生共鸣发出“沙沙”声，听着就像是捣米时的声音。和“洗小豆”一样，人们也找不到声音的源头，于是认为发出声音的是《鬼太郎》中的妖怪“仙境”，就是他把孩子们骗到了永生不死的世外桃源“隐之乡”。其实，啮虫与虱子是近亲。雄性啮虫发出声音，是在以此为信号引诱雌虫前来交配。

啮虫与障子共鸣发出的声音也像点茶[35]的声音，因此啮虫也被称为“点茶虫”。江户时代的俳句诗人小林一茶就写过这么一句：“夜色渐微亮，饱睡过后的虫儿，静静来点茶。”这里说的就是点茶虫。

啮虫以霉菌为食，所以喜欢住在通风不好的潮湿环境。家中的厨房、衣柜和书房里的书架都是啮虫的栖息地。从前，啮虫并不罕见，但现在的房子密闭性都很好，便很少再有啮虫的踪迹了。至少，现如今的很多房子都不再用纸窗户了。没有了窗户纸，也就听不到那点茶般的声音了。

另外，“洗小豆”和“仙境”都只在傍晚时出现。在没有电的古代，太阳西沉后便天色昏暗。一到傍晚，便失去了日间的喧闹，瞬间变得寂静可怕。虫子在此时发出的轻微声响便成了人们心中奇妙的记忆。

可如今呢？傍晚是交通堵塞的下班高峰期。人潮

---

34 障子，日式房间里糊纸窗和纸门的和纸。

35 点茶，指用茶刷搅拌日本抹茶，使之起泡的过程。

汹涌的电车里，喧嚣声越来越大。家里也充斥着看电视和打游戏的声音，成年人在不夜街到处喝酒寻欢。自然而然就听不到啮虫的点茶之声了。

“洗小豆”和“仙境”看到现如今的人类生活会作何感想呢？好像妖怪已经无法在这世间立足了。

棉蚜
——雪花般的命运

井上靖记录自己少年时代的自传体小说《雪虫》描述了这样的场景：“这是距今四十几年前的事了，村里的孩子们总是‘白婆子，白婆子’地叫着，在家门口的街道上跑来跑去，追着一种小小的白色生物玩。”“白婆子”就是白色老婆婆的意思，而这种看起来和老婆婆的白发一般飘浮着的生物正是棉蚜。

棉蚜一般被称为雪虫，因为它们看着就像漫天纷飞的细雪，也被浪漫地称为“雪子”或“雪萤”。虽然有这么浪漫的名字，但棉蚜只不过是寄生在植物上的小害虫。

棉蚜看起来像雪，是因为会产生像棉花一样的白色蜡状物质结晶。棉蚜虽然有翅膀，但是飞行能力极弱，与其说是在飞，还不如说是在乘风飞舞。因此，看上去就像是飞舞的雪花一般。

但为什么棉蚜会突然出现，宣告冬天的到来呢？夏天时它们又身在何处？抛开雪虫这样浪漫的别名，棉蚜归根结底还是蚜虫，在夏天和其他的蚜虫一样靠吸食植物的汁液度日。

不只是棉蚜，其他蚜虫一般也没有翅膀。蚜虫具有孤雌生殖的能力，就算没有雄虫，仅靠雌虫也能产卵留下克隆后代。气温高时，雌性蚜虫只产下雌虫，并在体内直接将卵孵化为幼虫。这样的生殖方式能产

生更多的克隆后代，使蚜虫具有极强的繁殖能力，让后代爆发性地增殖。可如此繁殖出来的克隆后代很难适应环境的变化。于是，气温下降时，蚜虫便会生出带有翅膀的雄虫和雌虫。这些雄虫和雌虫在空中飞舞、交配，产下虫卵得以过冬。

棉蚜中个头最大的卷叶棉蚜，情况更为复杂。卷叶棉蚜主要分布在日本东北部和北海道地区。棉蚜一般在初雪即将到来之前漫天飞舞，所以常言道：雪虫一飞，初雪即来。棉蚜被誉为冬天来临的风物诗。

但卷叶棉蚜在一年中的两个时节在空中飞舞，分别是初夏和晚秋。春天，卷叶棉蚜寄生在水曲柳上。到了初夏，带有翅膀的雌性卷叶棉蚜就会出现。这时，雌虫会飞到库叶冷杉上，一边分泌甘甜的分泌物、寄居在蚁穴，一边吸食树根的汁液并繁殖后代。但在这个时候迁移的雌性卷叶棉蚜数量较少，其他在飞的昆虫又很多，所以不太被人注意到。到了深秋，雌虫会再一次迁回水曲柳上，产下雌虫和雄虫。而这次移动的就是人们所说的“雪虫”。然后，雄虫和雌虫交配，产下用于过冬的虫卵。

雪虫的命运也如同雪花一般。用手抓住的话，便会立马衰竭。如果在乘风奔赴水曲柳的途中撞上了汽车的挡风玻璃，雪虫也会一命呜呼。

雪虫这名字是谁起的呀，真就像雪花消融一般静待着生命的消逝啊。

蓑蛾
——既是恶魔之子又是深闺之秀

清少纳言的《枕草子》中写有这么一句："蓑蛾，可怜哦，居然是鬼生的……"蓑蛾的别名叫"恶魔之子"。据说蓑蛾是被恶鬼抛弃的孩子，披着简陋的蓑衣，等待秋风吹起时被父亲接回的那一天。所以秋风一吹，它便会发出"爹爹哟，爹爹哟"那般呼唤父亲的叫声。

只不过，藏在蓑衣中的其实是蓑蛾的幼虫，并不会发出声音。既然如此，为何会说是蓑蛾在叫呢？实际上，发出这种叫声的是蟋蟀的亲戚——凯纳奥蟋。蟋蟀一般是在地上叫，凯纳奥蟋则栖息在房梁上。但因为凯纳奥蟋动作太快，所以很难被人发现。因此人们听到房梁上传来叫声，就误以为是蓑蛾在叫。

蓑蛾的幼虫是鸟类最爱吃的食物。因此蓑蛾幼虫用枯叶和枯枝做了巢，把它挂在树枝上，一直躲在里面。这个巢穴很像古人穿的用菅草和稻草编织成的蓑衣，所以蓑蛾得名"蓑衣虫"。蓑蛾有很多种类，人们口中的蓑衣虫一般是指个头大、特别好认的大巢蓑蛾和茶蓑蛾的幼虫。

蓑蛾偶尔会把头伸到"蓑衣"外，以吃周围的树叶为生，完全就像是睡在被窝里、边看漫画边吃零食的懒鬼生活。但对蓑蛾来说，这种居家模式是很关键

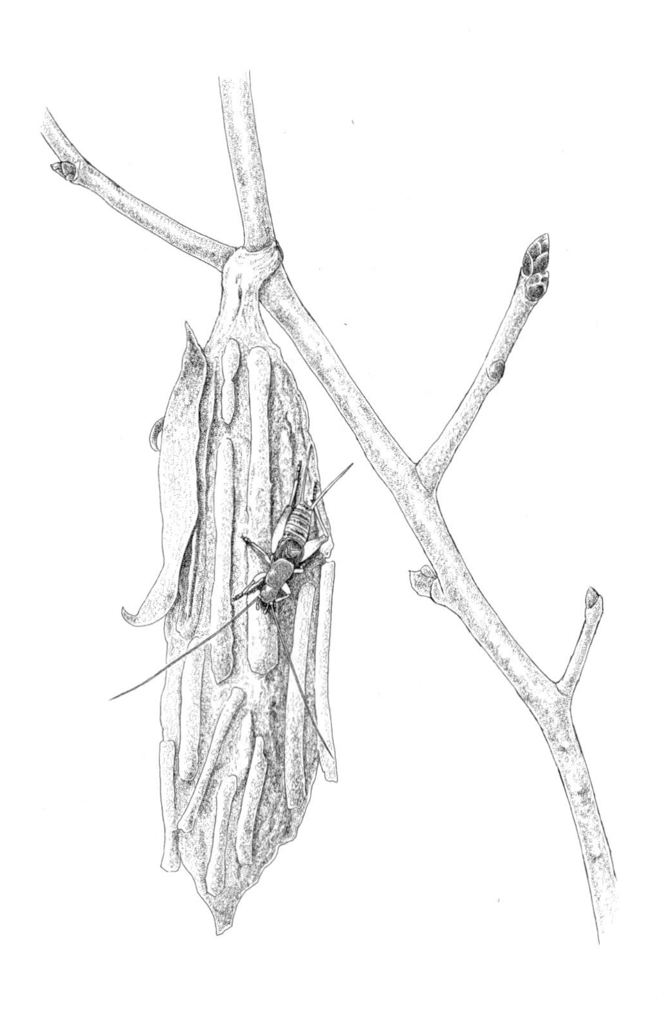

的避敌手段。可如果一直宅在蓑衣里，大了也找不到结婚对象。于是在冬去春来之际，雄性蓑蛾会羽化为飞蛾，离开蓑衣。

但是雌虫就算到了春天也依旧寸步不离。实际上，雌性蓑蛾一辈子都会窝在蓑衣里。雌性蓑蛾不会飞，便不会离巢。即便它们成为成虫也依旧没有翅膀，就像蛆一样；只能将头伸到蓑衣外，散发出荷尔蒙来吸引雄虫。随后，雌性蓑蛾与雄虫交配、在蓑衣里产卵，之后便在蓑衣中静待生命的终结。最后，孵化出来的幼虫爬出蓑衣，被风吹向他方，在新的地方做出小小的蓑衣，在其中生活。

曾经随处可见的蓑蛾，现在也很少看到了。蓑蛾越来越少，大家都担心它会不会就此灭绝。以前，孩子们很喜欢跟蓑蛾玩，经常把巢剥开，用毛线、彩纸等做出五颜六色的巢穴，再把蓑蛾放在里面。可现在的孩子应该都没怎么见过蓑蛾了吧。

一些亚洲国家为了防治啃食树叶的蓑蛾，大量放养了一种名叫四斑尼尔寄蝇的寄生蝇。这种寄生蝇来到日本后，开始袭击日本的蓑蛾。这种寄生蝇是如何攻击躲在蓑衣里的蓑蛾的呢？四斑尼尔寄蝇会在蓑蛾经常吃的树叶上产卵。于是，蓑蛾吃下带有蝇卵的树叶后，寄生蝇的幼虫就会在蓑蛾体内孵化出来，啃食蓑蛾的身体。面对突如其来的天敌，只会躲在蓑衣里防守的蓑蛾束手无策，数量急减。

但是，最近能够寄生在这种寄生蝇体内的寄生蜂又出现了，于是蓑蛾的数量又开始缓慢回升。蓑蛾的未来会如何呢？恶魔之子似乎依旧苦恼不已。

后记

目前地球上已知的生物约有175万种。其中一半以上都是昆虫，大约有95万种。哺乳动物只有6000多种，相比起来，昆虫要多出150倍。当然，昆虫不仅种类众多，由于体形小，数量也是压倒性地庞大。英国昆虫学家C. B. 威廉姆斯推测地球上的昆虫总量能达到100京只，即1万亿的100万倍。人类看起来洋洋自得，其实也只有区区70亿人口，昆虫的数量是人类的1亿倍。

如果毫不知情的外星人来到地球，会毫无疑问地断定昆虫才是地球的统治者吧。而对我们来说，这些地球的统治者是多么亲近的存在呀。特别是对于孩子，虫子是最好的玩伴。

一到暑假，孩子们便会拿着网出门去捉虫子，我小时候也沉迷于此。到了暑假，我便会开心地去捉知了、捕蜻蜓。即使不用捕虫网，也能空手抓住知了，捉住的虫子总是装满了虫盒。我对捉蜻蜓也十分在行，曾捉到过白尾灰蜻、碧伟蜓和秋赤蜻。小时候，我最想抓到的是无霸勾蜓。在高空飒爽地盘旋、用网也够不着的无霸勾蜓简直帅呆了。

在小孩子恶作剧心理的驱使下，我也曾往蚂蚁巢里灌过水、用放大镜烤着蚂蚁玩、将抓到的蚂蚁扔进蚁狮的巢穴里，或者放进捕蝇草里。最爱的莫过于抓蚂蚱了，甚至在小学低年级的时候还逃过课，就为了抓飞蝗。

不管是否逃过课，对抓虫子的沉迷是每个男孩子都会有的记忆吧。不只是男孩子，女孩子也会画花间飞舞的蝴蝶，也穿戴过瓢虫样式的衣服或首饰吧。就算是大人，一听到有萤火虫出没，多半也会一股脑儿地挤过来看。虽说都是些再小不过的昆虫，但对我们来说都是值得去爱的存在。

可是，如此亲近昆虫的国家却很少见。在日本，售卖捕虫网和昆虫盒的商铺随处可见，我在海外却很少看到卖给小孩子用的捕虫网。日本还有昆虫专用的饲养箱出售。无论是观察蚁巢，还是倾听铃虫的鸣叫，日本人的话，小时候至少都养过一次昆虫吧。其中最具人气的就是独角仙和锹甲。人们能在家具中心和超市很方便地买到它们，甚至在高级百货商场也有独角仙售卖。还有一款热门游戏叫作“甲虫王者”，以独角仙等昆虫为主题。

日本人对昆虫的钟爱由来已久。在江户时代就有了贩卖昆虫的买卖，卖铃虫、蟋蟀等鸣虫和萤火虫的商贩穿梭在江户城中。当然，之所以有这种买卖，是因为人们热衷于购买昆虫来赏玩。

就连经常处于战事的战国时期的将军也对昆虫情有独钟。战国武将会在头盔上加上被称为“前立”的装饰物，而最受欢迎的就是蜻蜓形象的前立。自古以来，蜻蜓被称为“必胜虫”，是吉利的昆虫。蜻蜓具有勇往直前、永不后退的特性，因此备受武将青睐。其实，蜻蜓也能很灵活地后退飞行，但即便如此，仍被视为勇往直前的标志性的存在。哪怕是现在，很多相扑力士的浴衣上也有蜻蜓图案。

蜻蜓的英文是“dragonfly”，听起来好像很酷，但欧洲的龙是被厌恶的妖怪。“dragonfly”绝不是个好名字。世上也不乏猛兽猛禽和其他符合战斗形象的生物，勇猛的日本武将却将小小的昆虫装饰在头盔上，可见日本人有多热爱虫子了吧。话说，代表平家的家纹是凤蝶。平家特地把昆虫作为家纹，与多以鳄鱼、独角兽、熊等猛兽作为标志性象征的西方纹样完全不同。

当然，这世上也不全是像蜻蜓、蝴蝶这样备受喜爱的昆虫，也有令人讨厌的害虫。但即便是害虫，古人也对它们注入了深深的爱意。到了秋天，农村地区的人们会供奉因农作而丧生的虫子的灵魂，举行“供奉虫子”的仪式，以此安抚害虫的灵魂。

或许你会觉得古人迷信，可即便是现在，研究最前沿科学的日本大学和研究机构也会供奉因实验而丧命的昆虫的灵魂，我也是每年积极供奉虫子的研究者之一。没有任何一个国家会供养虫子的灵魂，因此日本学者的这一举动也经常会被海外学者嘲笑。

说起来，我在访问一所美国大学时，曾被一件事吓到了：学生走路时会特地踩死步行道上的蟋蟀。仿佛对他们来说，即便不是害虫，虫子也不配被爱，而是应该被消灭的东西，似乎见一只就得杀一只。昆虫学的老师也都感叹：“即使是学昆虫学的学生，也有很多是不喜欢昆虫的。”

当然，世界上也有很多被称为昆虫爱好者的人，他们捉昆虫、养昆虫。但是好像没听说其他国家像日本这样，每个孩子都有过抓虫子的经历，还会专门买来独角仙、铃虫等昆虫饲养。日本或许是这世上少有的热爱虫子的国家了吧。

本书的日文版是筑摩文库继《就在身边的野草》《就在身边的蔬菜》之后，以“就在身边”为主题推出的书籍。对我们来说，昆虫是极为寻常的存在。但是，本应“就在身边”的昆虫，也似乎逐渐从人们的视线中消失了。

出现在童谣里的“晚霞中的红蜻蜓”曾是最常见的红蜻蜓，现如今却数量急减到近乎灭绝。可以追逐蚂蚱的草地，能捕蝉、捉独角仙的灌木丛也急剧减少。而且，带着捕虫网走过的孩子的身影也越来越少了。

随着昆虫逐渐从我们的生活中消失，那种对小小的虫子也会倾注满满的爱的“日本人的心灵”好像也在渐渐改变，或许是我多虑了。如果这本书能让大家更亲近地感受到身边昆虫的生活，便是我的荣幸至极。

书中对各种昆虫的介绍来自各方专家的实地调查和研究。在此，我对著有本书引用的论文和书籍的研究者深表感谢。最后，我想由衷感谢筑摩书房的镰田理惠女士在本书出版过程中所作的努力。同时，我想要感谢小堀文彦先生，书中如此精美的昆虫插图都出自他手，许多关于昆虫的生态知识也承蒙他的教授。

稻垣荣洋

2013年1月

小开本 CSTπ QST N
轻松读 文库

产品经理：张宝荷
视觉统筹：马仕睿 @typo_d
印制统筹：赵路江
美术编辑：程　阁
版权统筹：李晓苏
营销统筹：好同学

豆瓣 / 微博 / 小红书 / 公众号
搜索「轻读文库」

mail@qingduwenku.com